JN101316

無縁社会≒超高齢社会の闇と成年後見

（≒：にもなる）

岡﨑　賢

東京図書出版

はじめに

ちょうど10年前の1月にNHK総合テレビは、NHKスペシャル『無縁社会 ～〝無縁死〟3万2千人の衝撃～』を放映していました。

映像は冒頭から、東京・お台場の東京湾岸署からけたたましいサイレンを響かせ、水しぶきを上げて現場に急行する警備艇を映していました。目的地には、身元不明の男性の水死体が浮かんでいるのです。

私は、10年前のこの映像が今でも鮮明に眼と心に焼き付いています。

そして、タイトルの『〝無縁死〟3万2千人の衝撃』に、強い衝撃を受けたことを忘れていません。

誰にも看取られることなく、独りひっそりと死亡している人が、1年間で3万2000人もいる、という現実に衝撃を受けたのです。

そう言えば、私が、2004年より活動している成年後見の対象者の中にいる、親族から関わりを拒絶されて、独りで暮らしている方々も〝無縁死予備軍〟なのか!?

この世は無縁社会なのか!?

そんなことを問うていると、あと5年後に2025年を迎えることにも気が付きます。

２０２５年は大阪で万博が開かれる年？　いや、そんなめでたいことにうつつを抜かしておられない深刻なこと。第二次世界大戦後のベビーブームで生まれた、所謂団塊世代が、全員、後期高齢者になる年でした。国は、この年に「認知症者７００万人時代」の到来とアピールしています。これは私自身の問題でもあります。

「少子高齢化」の時代が足早に過ぎ去り、今や、「少子超高齢社会」になってしまいました。よくよく点検してみると、この「超高齢社会」を、幾重にも暗い闇が覆っていることがわかります。そして、その闇は、いつなんどき、私たちの上に降りかかってくるかわかりません。決して「他人事」ではありません。「明日はわが身」に降りかかってくるかわからないのです。

このようなことに問題意識を持っていると、世界中が騒々しくなってきました。中国起源の新型コロナウイルスが、世界中を震撼させてきたのです。感染拡大防止のために緊急事態宣言が発出され、在宅での生活が余儀なくされているとき、また、ショッキングなニュースが飛び込んできました。

新型コロナの感染者を収容する医療機関が崩壊寸前となり、人工呼吸器も不足してきたことで、「命の選別」が行われている、というニュースです。人工呼吸器を装着する順番があり、高齢者や障がい者は、後回しになっているということでした。

高齢者や障がい者の命の値段は安いのか？　高齢者や障がい者は、切り捨てられる運命なのか?!　このような現実が、超高齢社会を覆っている闇の典型なのでしょう。

私は、このニュースを確認して、黙っておれなくなりました。

社会福祉の世界に四十数年身を置かせて頂いた者として、また、真宗大谷派の僧侶として、超高齢社会に降りかかってきている無数の闇を、看過することができませんでした。

以前、成年後見活動で関係している方から、わかりやすい成年後見制度の手引が作れないかと相談を受けたことがありました。

超高齢社会の一つのセーフティーネットとしての成年後見制度。後見活動で出会った、親族から関わりを拒絶されている方との御縁を通じて、「無縁社会」にもなる「超高齢社会」の闇を考察したいとの思いから、本書を上梓したのです。

乱暴で稚拙な表現もありますが、「無縁社会」(にもなる)超高齢社会の闇と成年後見」を共に考えて頂けますならば、幸甚でございます。

無縁社会≒超高齢社会の闇と成年後見◇目次

第1章　『無縁社会　～〝無縁死〟3万2千人の衝撃～』の衝撃

☑番組再録

２０１０年1月31日にNHK総合テレビで放送されたNHKスペシャル『無縁社会　～〝無縁死〟３万2千人の衝撃～』のオープニングを、再現しよう。

東京・台場。
東京湾岸署の二隻の警備艇が赤色灯を回転させ、けたたましいサイレンを響かせ、水しぶきをあげて猛スピードで現場へ急行する映像が、視聴者の度肝を抜く。
警備艇は、程なくしてレインボーブリッジ真下の水死体発見現場に到着する。

女性の記者と思われるナレーションが入る。

「東京湾岸署！

同行取材をしていた私たちのもとに、この日も身元不明の水死体が発見された、と連絡がありました！

毎日のように発見される水死体！

この日、見つかったのは60代とみられる男性でした！

ここ数年、警察が捜査をしても名前さえわからない身元不明の遺体が増え続けています！

今、都市部で急成長をしている新たなビジネス！

亡くなった人の遺品や遺骨を専門で整理する特殊清掃業者です！」

映像は、無縁死した方の自宅の内部を映している。雑然とした室内の棚の上には、遺骨が入っているであろう大きな白い四角い箱が二つ置いてある。

番組は、官報に掲載されている「行旅死亡人」の人生を取材で明らかにしたい、と、一人の無縁死の男性の痕跡を訪ねることになる。

ある日の官報の「行旅死亡人」の記事。

「上記の者は、（前略）居間であぐらを組み、前に倒れ込む様に腐乱状態で死亡しているのが発見された。……(後略)……御遺体は火葬に付し、遺骨を保管しています。お心当たりの方は、当区まで申し出てください。　東京都○○区区長」

男性は、都内のアパートであぐらを組んだまま、コタツにもたれるようにして、テレビも電気もつけたまま死亡していた。死後1週間以上、誰にも気付かれずに、腐乱状態で発見された。大家さんからの情報で、この男性は、アパートの近くの給食センターに通っていたという。取材班がその会社を訪ねると、男性は、正社員として20年間、無遅刻、無欠勤で定年まで勤め上げていたこと、退職後は、同僚との付き合いも薄れ何をしていたのかは知らないこと、出身地は、秋田県であることがわかる。

取材班は、秋田へ向かうも、探し当てた本籍地は、都市計画で実家も土地も全部変わってしまい、実家のあった土地も既に他人に渡ってしまっていた。男性の同級生を訪ねて話を伺うと、同窓会名簿では、男性は、「消息不明者」になっていた、という。

血縁・地縁・社縁が途切れてしまっていたのです。

☑番組の反響

この番組の放送直後から、大きな反響が多く寄せられたそうだ。『無縁社会　～〝無縁死〟

3万2千人の衝撃〜』から、その悲鳴に近いコメントの数々を紹介しよう。

〝無縁社会、他人事でないなぁ〟

〝このままいくと、私も無縁死になる〟

〝明日の俺だな〟

〝私、確実に無縁死だわ〟

〝行く末のわが身に震えました……〟

〝無縁死って俺の将来の姿だな！〟

〝無縁死予備軍だな〟

〝だめだ、心が折れそうだ〟等々。

その数は、3万件を超えたという。30代や40代の若い年代の方からも、〝他人事でない……〟との、つぶやきがツイッター等に集中したというのです。

まだまだ、先の長い若年層の人たちが、何故、無縁死に敏感に反応せねばならないのでしょうか。なぜ、〝無縁死予備軍〟と、自身の将来に希望を持てないのだろうか。

そして、番組で取り上げられた男性は、20年間、無遅刻、無欠勤で真面目に会社で働いていたのに、なぜ、最期は、独りひっそりと誰にも看取られずに「無縁死」していかねばならないのだろうか。

筆者は、やりきれない気持ちを抑えることができませんでした。

しかし、よくよく考えてみると、このような事例は、日本のどこにでも起こりうることではないのでしょうか。だからこそ、この現実をしっかり見極めていかねばならないと思うのです。

☑「無縁社会」

筆者も、この番組で言葉にできないような凄い衝撃をうけました。1時間の番組で報道される一つひとつの悲しい事象が、驚くべき現実が、決してあってはならない現実が、筆者の心をも強く揺さぶったことでした。このような現実に、眠っていて良いのか？

筆者は、福祉の現場に身を置くものとして、また、真宗大谷派の僧侶として、その前に、一人の人間として、この番組を通じて知らされた現実に目をつむっていて良いのだろうか？ 自問するばかりでした。しかし、何の行動もできないまま、今日まできてしまいました。あの番組、NHKスペシャル『無縁社会 ～〃無縁死〃3万2千人の衝撃～』から10年。社会は変遷したのか？ しないのか？

この番組が放送された2010年の暮れには、ユーキャン流行語大賞のトップテンにまで選ばれた「無縁社会」。「無縁社会」とは、勿論、このNHKスペシャル『無縁社会 ～〃無縁死〃3万2千人の衝撃～』の番組で造られた造語なのです。

番組が、この社会に大きな問題提起をおこなったのです。

ＮＨＫ無縁社会プロジェクトチームのスタッフが、日本国中でひとり孤独に亡くなり引き取り手もない「無縁死」がどれくらい起きているのか、なぜ起きているのかを、２００８年に全国の市町村へ調査して得られた結果が、無縁死が年間３万２０００人にものぼるという悲惨なデータです。つまり、1日に80名を超える方が、日本のどこかで、誰にも看取られることなく無縁死しているということになるのです。

血縁・地縁・社縁が崩壊して孤立し、無縁死しているという現実を、今一度、しっかりと検証していかなくてはなりません。

☑ 血縁が薄れていく

血縁という言葉を、今、改めて『広辞苑』で確認してみようと思います。『広辞苑』には、「血縁」について、「①血すじ。血脈。血のつながり。②血すじをひく親族。血族。けちえん。」また、「血縁関係」とは、「親子関係と兄弟姉妹とを基本とし、さらにこの関係の連鎖で結ばれる関係。生物学的な血の関係だけでなく、養子関係や、共通の先祖をもつと信じあっている関係も含まれる。」と、明確に説明されています。

この血縁関係が、今、希薄になってきているということは、第二次世界大戦後、大きく変遷してきた家族制度が、要因の一つに挙げられます。

日本の家族制度は、江戸時代の大家族制度から明治時代に入って「家」制度へと変遷しながらも、多世帯同居型家族制が維持されてきましたが、第二次世界大戦後の、特に、１９６０年代から１９７０年代初頭までの高度経済成長期を通じて人口の大都市圏への集中も進み、急激に核家族化が進んでいきました。家制度で築かれてきた、長男は親の面倒をみるという慣習も殆ど消滅していき、長男家族も独立して核家族化し、高齢者夫婦のみの世帯が増大しています。

血縁は、親きょうだいをはじめとする血縁者によって結ばれるつながりですが、子が親元を離れて核家族として独立し、その途上で、何らかのトラブルやアクシデント等に見舞われて、或いは、親、きょうだい等の死亡によって、出生に伴って結ばれた尊い血縁も希薄化、断絶していくという悲しい状態に陥ってしまいます。

また、離婚によって夫婦、親子の絆も崩れて離散し、家族関係も崩壊し、生活も困窮化して、無縁状態に陥ることも想定せねばならないでしょう。

そして、さらに深刻なことは、一生独身を続け家族を形成しない人が増えていることも、血縁関係の希薄化を招いていると指摘されます。『国勢調査報告』による２０１５年次の「50歳時の未婚割合」（以前は、「生涯未婚率」と表現されていた）の調査では、男性が23・３７％、女性が14・０６％と算出されています。２０００年次を見ると、男性は12・５７％、女性が５・８２％であり、これと比べると、15年間で男性も女性も2倍以上、未婚割合が上昇していることが明らかです。

☑地縁が希薄化している

地縁とは、「住む土地に基づく縁故関係」と『広辞苑』に説明されています。

家族の形が多世帯同居から核家族へと変わっていき、大都市圏への人口移動等によって、住み慣れた地域を離れ、地域社会における縁故関係も希薄になってきています。勤労者の生活構造は、職住分離という形を余儀なくし、会社中心の生活を送る中で、地域社会の中での人間関係も薄れていきます。その上、近年の少子高齢化によって、筆者が住んでいる地域等においても過疎化が急激に進行し、担い手不足から、地域住民によって継承されてきた地域に伝わる伝統行事や祭祀等の実行にも支障を来しているという実態があります。「地域力」といわれるものが確実に疲弊し、弱体化してきています。

このように、地域力が弱まってきている中で、地域社会に自然発生的に存在していた共同体的な関わり、見守り体制も消滅しようとしていると言わねばなりません。

☑「社縁」が消えていく!

この番組で取り上げられた男性は、給食センターで無遅刻・無欠勤で20年間働き、定年まで勤めあげられた。にもかかわらず、会社の退職と同時に、会社の同僚とのつながりも途切れてしまったという。所謂、社縁も途絶えてしまったのです。

わが国の終身雇用制度は、高度経済成長期において、企業側が労働力を安定的に確保し、育成する雇用慣習として定着してきました。しかし、バブル崩壊後の経済の停滞、少子化による労働人口の高齢化による人件費の高騰等の要因により、終身雇用制度は崩壊してきています。２０１９年5月には、日本を代表する大企業のトップが、会見で「日本では、終身雇用制度が維持出来ない段階に来ている」と発言し、国民に大きなインパクトを与えたことは記憶に新しいことです。今後、ますます、非正規雇用、有期限雇用制が定着していくことでしょう。労働者は、いつどこで解雇されるかわからないような事態に陥ることも想定しなければなりません。

もっとも、この『無縁社会　～〝無縁死〟３万2千人の衝撃～』の番組で紹介された男性のように、無遅刻・無欠勤で20年間、定年まで真面目に勤め上げられた方でさえ、会社を退職すると同時に会社とのつながり＝「社縁」が途切れたという現実を見るにつけても、もともと、社縁とは、希薄なつながりでしかなかったのかも知れません。

しかし、故郷を離れ、大都会での生活を夢見て、働く場を求めて大都会に暮らしている人たちにとっては、尚更、会社での人間関係、つながりは、暮らしていく上での支えでもあったはずです。その社縁とやらも、案外、希薄なものでしかなかったのか。故郷とのつながりも切れ、会社を退職した途端、「唯一の社会との接点」を失い、無縁化への道を歩むことになってしまうのでしょうか。

終身雇用制の功罪を論じることは別に譲るとして、今後、非正規労働や有期限雇用制を基に会社で働く人たちにとっては、会社でのつながり（社縁）というものは、期待できなくなってしまうのでしょう。大都会の、華やかな喧噪の陰で独り孤立化していく。そんな情景を、思い浮かべたくないのです。

☑自殺者数は減少

少し、安心させられるデータがあります。

１９９８年から２０１１年までの14年間、日本の自殺者数が毎年３万人を超えて、〝自殺大国ニッポン〟と呼ばれてきました。しかし、２０１２年に、15年ぶりに３万人を下回ってからは、大幅に減少傾向にあります。

２００６年10月に施行された『自殺対策基本法』では、その目的を、「誰も自殺に追い込まれることのない社会の実現を目指して、（略）自殺対策に関し、基本理念を定め、及び国、地方公共団体等の責務を明らかにするとともに、自殺対策の基本となる事項を定めること等により、自殺対策を総合的に推進して、自殺の防止を図り、……（略）……国民が健康で生きがいを持って暮らすことのできる社会の実現に寄与すること」としています。

厚生労働省の『自殺対策白書』平成30年版で、「原因・動機別の自殺者数の推移」を見てみると、１９９８年に自殺者が急増した際には、「家庭問題」や「勤務問題」が若干増加したもののの、「健康問題」や「経済・生活問題」が大きく増加している。「経済・生活問題」については、１９９８年の急増後、横ばいで推移したが、２００２年、２００３年と更に増加した。２００７年以降については、「健康問題」が最も多く、次に「経済・生活問題」、「家庭問題」、「勤務問題」と続いている。「健康問題」や「経済・生活問題」は、ピーク時から大きく減少している、という傾向があります。

２０２０年1月に警察庁が発表した「令和元年の月別の自殺者数について」によると、２０１９年の自殺者数は、2万１６９人で、１９７８年からの自殺統計開始以来、過去最少の記録となりました。自殺者の減少は、10年連続という嬉しい結果がでています。このまま、自殺者数が減少していくことを願うばかりです。

ただ、喜んでばかりはいられません。

筆者は、10代前半の子どもの自殺が報道されるたびに、大変、憂鬱な気持ちになります。国全体の自殺者数は減少しているのに、小中高校生の自殺者数は、顕著に増え続けています。子どもの自殺は、この10年、３００人前後で推移しており、２０１９年は、３５９人を数えています。何故、子どもの自殺者数は、減らないのでしょうか。何故、将来に生きる希望を見出せず、自らの手で、人生を閉ざしてしまうのでしょうか。

子どもの自殺の主な要因としては、いじめ・友人関係・学業不振等の学校問題や親との不和といった家庭問題、うつ病等の健康問題等が挙げられており、学校問題が最も多いという結果がでています。また、これらの要因が複合的に連鎖して、何らかの出来事が引き金となって自殺へつながっていることもあります。

子どもが自殺したという報道に出会うたびに、何故、大人が子どもの尊い命を守ることができなかったのか、と真剣に思います。

少年少女の命が軽んじられる社会は、どこか、病んでいる社会ではないのか。ますます少子化していっている社会にあって、子どもが生き辛い社会であってはならない。サン・テグジュペリが『星の王子さま』で、「だれも、はじめはこどもだった。けれども、そのことを忘れずにいる大人は、いくらもいない。」と、嘆いたではないか。子どもの自殺問題を、学校での子ども同士のいじめ問題とかに封じ込めてはいけない。矮小化してはいけない。子どもが発するSOSを、学校関係者が、地域のおとなが、そして、何よりも家庭の中で、しっかりとキャッチできる環境が整備されなくてはならないのです。

公的には、「こどもSOS相談窓口」や、「24時間子供SOSダイヤル」等の相談窓口は、既に整備されています。子どもたちや保護者のSOSの声を、〃いちはやく〃キャッチすることを目的に、全国の児童相談所に児童相談所虐待対応ダイヤル「189（いちはやく）」も、設置されています。それらの相談窓口が、多感な子どもたちからの、或いは、共に悩んでいる保護者の方々からの、心からの叫びを受け止め得る機能になっているのか、検証が必要ですが、子どもの自殺を一人でも減らしていけるよう、私たち大人がもっと子どもの〝良き隣人〟になっていかねばならないのではないか、と思います。

近年のＳＮＳ等の普及によって、子どもが抱える悩み等も、多様化し複雑化しているのではないか、とも思えてきます。ＳＮＳ等に、すぐに〝つながる〟ことによって、子どもたちの悩みは、より深刻になっている側面はないのか。

子どもの話を、子どもが抱えている悩み事を、周りにいる大人がじっくりと傾聴することで、子どもは、自分を受け入れてくれたと感じることができて生きる希望を持ち、生きる自信につながっていくのだ。

子どもが悩みを打ち明けたい時に、誰にも遠慮することなく打ち明けられる環境づくりが必要なのだ。それが、子どもの目の前にいる私たち大人であることが望ましいのではないだろうか。

子どもたちの、今から芽吹こうとしている若い命を、自らの手で摘み取ることのないよう、大人がもっと真剣に子どもの心を理解していくような社会づくり、それが、『自殺対策基本法』の理念にある、「国民が健康で生きがいを持って暮らすことのできる社会の実現」ということではないのですか。そして、また、この理念とは、無縁社会となりつつある現代に向けたテーマでもあると言わねばならないように思えるのです。

☑血縁・地縁・社縁を取り戻すことはできないのか？

一旦、ほころびてしまった、或いは、ほころびかけている血縁・地縁・社縁という、これまで、日本人が大事にしてきたつながり（絆）を、どうしたら元に戻すことができるのであろうか？　急激に変化する時代の流れの中で、もう、流れを止めることはできないのだろうか？

急速に進んでいる、この無縁化への流れを、指をくわえて傍観していて良いのだろうか？

血縁関係や地縁関係が希薄化してきた現状の中で、是非、推進して欲しい事業があります。

大家族制から核家族へ移ってきている中で、国が進めている多世帯同居・多世帯近居事業です。全国各地の地方自治体が実施していますが、筆者の住んでいる福井県のホームページから事業を紹介します。

◇多世帯同居・近居住まい推進事業

子どもを安心して産み育てられ、高齢者が安心して暮らすことのできる良好な住環境の推進を目的に、県と市町が連携して、多世帯で同居するためのリフォーム工事代や、近居のための住宅取得に対して助成するという事業です。

多世帯同居リフォーム支援事業は、補助対象者は、県内に所在し自ら居住する住宅の所有者で、補助対象住宅は、リフォーム工事後に、親世帯の住宅に子世帯が同居するなど、直系親族の世帯数が1以上増加する一戸建て住宅で、補助額は、最大90万円。多世帯近居住宅取得支援事業は、補助対象者は、新たに近居するために住宅の建設または購入を行う者で、補助対象住宅とは、新築の住宅建設または購入の場合で、補助額は最大30万円、中古住宅を購入の場合は、補助額が最大で50万円となっています。

福井県内の大半の市町でこれらの事業が実施されていますが、筆者は、この事業を本格的に実施していくことで、大家族制から核家族制となって、親元から子が独立して核家族を営み、そのうちに、親世帯が高齢者夫婦世帯となり、いずれ、配偶者の死亡や施設入居等によって、高齢者単独世帯となって無縁化していく一つの流れをくいとめることができるのではないか、と考えます。

大家族制、多世帯同居が、世帯内でのライフスタイルの違いや嫁・姑との意見の対立等でストレスを抱えて、核家族制へと移っていったことは否めません。しかし、今また、多世帯同居リフォーム支援事業等が実施されてきている背景には、家族において世代間で助け合いながら子や孫を育てることができるようにするためとの、「少子化対策大綱」に謳う「きめ細かな少子化対策」を推進する一方策だと言えます。子育て世帯が、親や祖父母等の世帯と同居することで、子育てへの助言や世話を受けられることは、子育て世帯の親子にとっても大きなメリットがあります。時代錯誤だと叱られそうですが、日本古来に伝わる〃おばあちゃんの知恵袋〃

を子育てに活かしていくことは、子育て中の親にとっては育児のストレスを軽減し、子の情操を高め健全な大人への成長に大いに影響していくことでしょう。多世帯が同居する際に、お互いのプライバシーを守り、お互いの居住スペースを確保するために、多世帯同居リフォーム支援事業があります。

また、多世帯近居住宅取得支援事業は、親世帯の近くに住みたいが、どうしても同居はハードルが高いという世帯を対象としていると思われます。

この事業の近居とは、「親世帯と子世帯など、直系親族の世帯が、同一小学校区または概ね車で5分圏内に別に居住すること」としています。同一小学校区、或いは、車で5分以内に近居することは、親世帯にとっても子世帯にとっても、多くのメリットを挙げることができます。親世帯にとっては、要介護状態になった時、疾病を抱えて入退院を繰り返すようになった時など、子世帯が近くに住んでいるという安心感は何ものにも代えがたいものです。子世帯にとっても、子育て等への協力を依頼できるのは大きなメリットでしょう。お互いに、旅行等に出かける時にも、いわば、〝スープの冷めない距離〟に親族が居住していることで、安心して家を空けることができます。お互いに助け合いながらも過干渉を避けられるという、メリットがあります。

筆者には、ここに挙げた多くのメリットは、大局的に見て、血縁・地縁の復活につながるのではないか、と思われてならないのです。

子が親元を離れ、核家族で独立して故郷も離れ、家族からも地域からも〝縁〞が遠のいていくことが、お互いに無縁化への道を歩みだしているとは言えなかったか。故郷では親世帯がやがて高齢者単独世帯となり、故郷を離れて大都会に核家族を営んでいた子は、何らかのトラブルで家族と離散して単身世帯となり、本人もやがて高齢期を迎え、大都会の中で独りで終末期を迎えねばならないという姿を想像してしまいます。まさに、『無縁社会 ～〝無縁死〞3万2千人の衝撃～』の世界です。

核家族化への流れは止められないけれど、子世帯が、〝スープの冷めない距離〞の親世帯に近居する「多世帯近居住宅取得支援事業」や、親世帯に子世帯が同居するために必要なリフォーム等を支援する「多世帯同居リフォーム支援事業」を、自治体が積極的に拡大（補助額の増額等も含めて）し、啓発、推進していくことは、今、懸案となっている少子化対策、空き家対策、孤独死対策等にも大きく寄与すると思われるのです。

また、高齢者が孤立しないための社会参加という課題があります。地域において高齢者の方々が生き生きと生きがいをもって暮らせるように、地域に住む高齢者が、それぞれ役割をもって活動することも大事になってくると思われます。高齢者の方々が気軽に集えるサロンの運営、高齢者同士で定期的に声を掛け合い見守りを行う見守り活動等、高齢者主体によるインフォーマルサービス活動の充実も、高齢者個々人の生きがいづくり、地域共生社会づくりという目標達成に向けての試金石になるのではないでしょうか。

NHKスペシャル『無縁社会』の番組スタッフの板垣淑子氏は、『無縁社会』の中で、「無縁社会から結縁社会へ ─ 新しい『つながり』を求めて ─ 」と題して、
「たとえ、ひとつひとつは小さな取り組みであっても、地域ごとに、そうした取り組みが連携しネットワークを作っていけば、無縁社会を支えていく新たな『地域力』となっていくのではないか。そして、新しい『つながる場所』の存在が、ネットワークで結ばれることで、無縁社会を乗りこえる大きな力を生んでいくに違いない、と思えるのだ。(略)

結縁社会──。ひとりひとりの『個』=『孤』は、かってのように強い絆で結びつくのではなく、ゆるやかで新たな〝つながり〟をつむいでいく、そういう時がきているのではないだろうか。」

と、問いかけています。

新しいつながる場所、そこに、失われかけた地縁の復活のキーワードがあるのでしょう。

第2章　超高齢社会の現実

(1) 高齢化社会から超高齢社会へ

第二次世界大戦の敗戦から驚異的な発展を遂げ、世界有数の経済大国にまでのし上がったわが国は、いつの間にか少子高齢化で世界一を競う国となってしまいました。経済先進国の中で人口の高齢化が最も急激に進行しています。いわば、生産人口割合が低下し老年人口が上昇することで、経済産業社会にも暗雲がかかってきています。

もともと、人口に占める65歳以上の高齢者人口の割合が７％を超える状態を「高齢化社会」と呼んでおり、14％を超えると「高齢社会」、21％を超えると「超高齢社会」と呼ぶことになっています。

わが国では、高度経済成長期の真っ只中の１９７０年に既に、高齢者人口の割合が７・０４％を記録して「高齢化社会」に突入しています。その後も、高齢化率は加速度的に上昇し、１９９４年に総人口約１億２３００万人のうち高齢者人口が約１７６０万人を占め、高齢化率が14％を超えて、わずか24年で「高齢社会」となっていったのです。

高齢化の速度について、世界の主要国で比較すると、高齢化率が7％から14％に達するまでの所要年数は、フランスが115年、アメリカが72年、ドイツが40年であり、わが国が、いかに急速的に高齢化が進行しているかが明白に表れています。

高齢社会になっても少子高齢化に歯止めがかかるどころか、2007年には、「超高齢社会」に突入し、日本は世界の中でも超高齢先進国になってしまいました。『高齢社会白書（令和元年版）』によると、2018年10月現在、総人口1億2644万人、65歳以上の高齢者人口は3558万人となり、高齢化率も28・1％になっています。

ますます高齢化に向かってアクセル全開の中で、様々な問題が見え隠れしてきました。

⑵ 高齢社会の要因とは

急速に超高齢社会へと推移していった背景には、やはり、少子化と高齢者の死亡率が低下したことが挙げられます。

少子化については、随分前から指摘されてきたことですが一向に改善されません。一人の女性が生涯に産む子どもの数にあたる合計特殊出生率はわが国の場合、2018年は1・42となっています。人口を維持するのに必要な出生率は、2・08と言われていますので、これを下回る年が続いており、人口減少にも歯止めがかかりません。

☑ 少子化

少子化の原因には、未婚化、晩婚化や、非正規労働等の経済状況、女性の社会進出、待機児童問題の常態化等の子育て環境の不備等を挙げることができます。

未婚化については、既述したように２０１５年の男性の50歳時の未婚割合は23・３７％、女性は14・０６％となっています。この50歳時の未婚割合については、１９７０年では、男性が１・７０％、女性が３・３３％であり、桁違いに未婚率が上昇していることがわかります。近年の統計では、２０１０年を見ると、男性が20・１４％、女性が10・６１％であり、この５年間で、男性が３・２３ポイント、女性が３・４５ポイントも上昇していることがよくわかります。

この男女の未婚状況を表す指標で用いられる50歳時未婚割合が、年々上昇していることは、憂慮すべき状態と言わねばなりません。１９７０年代は、経済の高度成長にも支えられ、〝結婚するのが当たり前〟の時代でした。非正規労働の増加という雇用不安や結婚観や価値観等、結婚を取り巻く環境の変化が、このように未婚割合を大きく上昇させてしまったのではないかと思います。

一方、晩婚化についての統計を見ると、１９７０年では、全婚姻年齢が夫は27・６歳、妻が24・６歳、初婚年齢が、夫は26・９歳、妻は24・２歳ですが、２０１８年を見ると、全婚姻年齢では夫が33・5歳、妻が31・2歳、初婚年齢では、夫が31・1歳、妻が29・4歳となっています。全婚姻年齢で比べると夫が5・9歳、妻が6・6歳、初婚年齢では夫が4・2歳、妻が5・2歳と晩婚化の状態が明らかです。

晩婚化が進むと出産年齢も上がり、第一子を授かるタイミングも遅くなり、第二子以降の出産を断念せざるを得なくなることから、少子化の要因ともなるでしょう。「UNECE加盟国における母の第一子平均出生年齢」(『人口統計資料集2020』)で調べると、日本は、1980年に26・1歳、2000年に28・0歳、2015年に30・0歳となっており、この35年で第一子平均出生年齢が、約4歳遅くなっています。

☑高齢者の死亡率の低下

さらに、医学技術の目覚ましい進歩や生活環境、食生活の改善等によって高齢者の死亡率が低下、及び平均寿命が延びたことは、高齢化・長寿化に大きく影響しています。国民が健康で長寿を全うすることは、大変に喜ばしいことでもあります。『人口統計資料集2020』で、「平均寿命の高い国」を調べてみると、1950〜1955年では、わが国の男性の平均寿命は61・00歳で世界28位、女性の平均寿命は64・61歳で世界34位でしたが、2015〜2020年になると、男性が81・28歳で世界第3位、女性も87・47歳で世界第2位にランクされています。この65年間で男性が約20歳、女性が約23歳、平均寿命が延びたのです。文字通り、日本は世界に名だたる長寿国になりました。

筆者はよく、ご高齢の方から、〝もう、早ようお迎えが来てほしいわ〟（もう、長生きしてもシンドイことだらけで、早く死んで仏さんに迎えにきてもらいたい、という意味か？）ということを耳にすることがあります。勿論、本意で言われているのではないですが、どんなに高齢になられても、若者層に遠慮して肩身の狭い思いで暮らしておられるのだとしたら、あまりにも寂しすぎます。

「障がい者を締め出す社会は、弱く脆い社会である」とは、国際障害者年（１９８１年）の国連決議文の一節です。この言葉になぞらえると、「高齢者を締め出す社会は、弱く脆い社会だ」と言えるのだと思います。

現在、後期高齢者世代を生きておられる方々は、この国の、戦後の驚異的な高度経済成長を支えてこられた方々であることを、今一度、しっかりと受け止めなければなりません。幼少青年時代を、第二次世界大戦の戦前戦中戦後に暮らし、ある人は戦地へ召集され、ある人は父親を戦火で亡くし、大半の方は戦争によって青春を奪われた世代であることを、絶対に忘れてはなりません。

超高齢社会は、高齢者を温かく包み込む社会であって欲しいものです。

また、医学技術は更に発展を遂げています。京都大学ｉＰＳ細胞研究所の山中伸弥教授が発明したｉＰＳ細胞も近い将来、臨床現場で実用化されることでしょう。否、ｉＰＳ細胞を凌駕する発明も出てくるに違いありません。今後、ますます、平均寿命は延びていくのです。『人口統計資料集２０２０』によると、日本の男性の平均寿命は、２０５０～２０５５年には更に約４歳上がって85・４５歳、女性も約４歳上がって、91・６４歳になるという推計が出ています。まさに、超高齢社会です。しかし、私たちは、高齢社会をネガティブに捉えてはいないでしょうか。少子超高齢社会で、高齢者が役割をもち、元気で活き活きと活かされている地域共生社会を築いていかなければこの国には未来はない、と言わねばならないと思います。

⑶ 65歳は「高齢者」か？

内閣府が公表している『平成24年版　高齢社会白書（概要版）』には、第1章第３節で「今後の超高齢社会に向けた基本的な考え方」をまとめています。この中で、「健康で活動できる間は自己責任に基づき、身の回りのことは自分で行うという『自己力』を高め、長い人生を活き活きと自立し、誇りを持って社会の支え手や担い手として活躍でき、支えが必要となった時でも尊厳のある生き方ができる社会の実現が重要である。」とし、「これまでの人生65年を前提とした社会から脱却し、『人生90年時代』に対応した超高齢社会における基本的な考え方」として、次の項目を掲げています。

①「高齢者」の捉え方の意識改革～65歳は高齢者か～
②老後の安心を確保するための社会保障制度の確立～支え支えられる安心社会～
③高齢者パワーへの期待～社会を支える頼もしい現役シニア～
④地域力の強化と安定的な地域社会の実現～「互助」が活きるコミュニティ～
⑤安全・安心な生活環境の実現～高齢者に優しい社会はみんなに優しい～

筆者が注目するのは、①「高齢者」の捉え方の意識改革～65歳は高齢者か～と指摘している点です。『白書』では、この件に関して、「『高齢者』は、支えが必要であるとする考え方や社会の在り様は、意欲と能力のある現役の65歳以上の者の実態から乖離しており、高齢者の意欲と能力を活用する上で阻害要因ともなっている。」と指摘しています。もっとも、わが国において、「高齢者」の定義は曖昧です。

老人福祉法には、「福祉の措置」の対象として、「六十五歳以上の者」という表記はあっても、高齢者を65歳以上とするという定義はありません。２００6年4月1日から施行された「高齢者虐待の防止、高齢者の養護者に対する支援等に関する法律」には、「この法律において、『高齢者』とは、六十五歳以上の者をいう。」（第二条）と定義されていますが、一方、「高年齢者等の雇用の安定等に関する法律施行規則」では、「高年齢者の年齢」を「五十五歳とする（第一条）」と規定しており、法的にも曖昧なものとなっています。

生物学的にも医学的にも、65歳以上を高齢者とするという定義が現状と乖離しているとの考えから、日本老年学会・日本老年医学会が、２０１３年から高齢者に関する定義検討ワーキンググループを立ち上げ、近年の高齢者に関する種々のデータ等を検討した結果、特に65～74歳の前期高齢者においては、心身の健康が保たれ、活発な社会活動が可能な人が大多数を占めており、各種の意識調査でも、65歳以上を高齢者とすることに否定的な意見が強くなっているとのことから、「高齢者に関する定義検討ワーキンググループ報告書」（２０１７年３月）において、「65歳以上の人について、65歳～74歳を准高齢者（准高齢期）、75歳～89歳を高齢者（高齢期）、90歳以上を超高齢者（超高齢期）とする。」と提言しています。また、「高齢社会対策大綱」の中においても、「65歳以上を一律に『高齢者』と見る一般的な傾向は、現状に照らせばもはや、現実的なものではなくなりつつある。70歳やそれ以降でも、個々人の意欲・能力に応じた力を発揮できる時代が到来しており、『高齢者を支える』発想とともに、意欲ある高齢者の能力発揮を可能にする社会環境を整えることが必要である。」としています。

このように、高齢者の定義の見直しや人生65年時代から人生90年時代への転換等々の流れは、国民の高齢者世代に対する意識改革、高齢者世代自身のモチベーションアップに繋がると思われますが、今、わが国が直面している、今後、更に深刻さを深めていくであろう「超高齢社会」の在り方、社会の仕組みを転換していく流れにも繋がるのではないか、とも考えられます。

超高齢社会の到来により大幅に膨張する社会保障費の財源を消費税増税で賄う施策がとられ、

高齢者の定義を75歳とすることで、年金支給年齢の繰り下げ等が目論まれています。また、公務員や一般企業等の定年年齢も引き上げが計画されています。ただし、『報告書』では、75歳以上を高齢者とする提言を行うに当たり、「まとめ」に、留意すべき点として、「本ワーキンググループでは、年金、定年、医療費などの各制度でどのような定義をすべきという議論は行っておらず、そのような提言をする意図はない。」とクギがさされています。つまり、このたびの日本老年学会・日本老年医学会による高齢者の定義の見直しが、国の社会保障制度の改変と連動する意図はない、と敢えて明記しているのです。また、75歳以上になっても、心身ともに健康で意欲のある人は引き続き社会活動に参加すべきであろうとして、75歳＝高齢者＝支えられる人というラベルを貼らない反面、准高齢期になり労働の現場からの撤退を希望する者には、当然、そのような選択肢を許容すべきであるとしています。

このたびの高齢者の定義の見直しの提言が、高齢者に対する理解を深め、多世代が連携して地域共生社会を創る方向性を模索し、文字通り超高齢社会を明るく活力のあるものにするきっかけになって欲しいものです。

(4) 高年齢者の雇用状況について

さて、高年齢者の雇用状況は、どうなっているのでしょうか。

厚生労働省は、高年齢者を65歳まで雇用するための「高年齢者雇用確保措置」の実施状況等をまとめた「高年齢者の雇用状況」を公表していますが、令和元年版の集計結果を確認します（この調査は、従業員31人以上の企業・16万1378社の状況）。

65歳までの雇用確保措置のある企業は99・8％、65歳定年企業は17・2％で前年比1・1ポイント増、66歳以上働ける制度のある企業は30・8％で前年比3・2ポイント増、70歳以上働ける制度のある企業は28・9％で前年比3・1ポイント増、定年制廃止企業は2・7％で前年比0・1ポイント増、となっています。

また、31人以上規模企業における60歳以上の常用労働者数は約387万人で、全常用労働者数の12・2％を占めています。これを年齢階級別にみると、60〜64歳が約215万人、65〜69歳が約114万人、70歳以上が約58万人となっています。

現在、仕事をしている60歳以上の者に、「あなたは、何歳頃まで収入を伴う仕事をしたいですか？」との調査に、42・0％の人が「働けるうちはいつまでも」と回答し、「70歳くらいまで」働きたいが21・9％、「65歳くらいまで」が13・5％と続いています。これらのデータから読み取れることは、高齢期になっても高い就業意欲をもっているということです。このことは、とても大事なことではないでしょうか。

⑸「認知症者700万人時代」の到来

２０１５年１月に厚生労働省から発表された「認知症施策推進総合戦略（新オレンジプラン）」（以下、「新プラン」という）は、冒頭、「わが国の認知症高齢者の数は、２０１２年で462万人と推計されており、２０２５年には約７００万人、65歳以上の高齢者の約５人に１人に達することが見込まれています。」という文章で始まっています。いよいよ、「認知症者７００万人時代」の到来です。

『新プラン』の施策の対象期間は２０２５年とし、「Ⅰ・認知症への理解を深めるための普及・啓発の推進、Ⅱ・認知症の容態に応じた適時・適切な医療・介護等の提供、Ⅲ・若年性認知症施策の強化、Ⅳ・認知症の人の介護者への支援、Ⅴ・認知症の人を含む高齢者にやさしい地域づくりの推進、Ⅵ・認知症の予防法、診断法、治療法、リハビリテーションモデル、介護モデル等の研究開発及びその成果の普及の推進、Ⅶ・認知症の人やその家族の視点の重視」という７本の柱に沿って、認知症高齢者等にやさしい地域づくりの施策を総合的に推進していく、としています。そして、「認知症施策は国を挙げて取り組むべき課題であり、新たな体制のもと、認知症の人やその家族が安心して暮らせる社会を実現すべく、共生と予防の２本柱のもと、関係省庁が連携し、新たな施策のとりまとめに向けた検討を行うこととした。」（『高齢社会白書〈令和元年版〉』）と、施策のポイントをまとめていますが、認知症者７００万人時代の施策としては、あまりにも、抽象的な美辞麗句が並んでいるようで、筆者は疑心暗鬼にならざるを得ません。

また、2012年に公表された「オレンジプラン（認知症施策推進5か年計画）」は、認知症に対する理解を深め、認知症の人たちが住みやすい社会になるよう2013年度から2017年度までの5カ年計画でのプランでしたが、『新プラン』が「認知症者700万人時代」へ向けての認知症施策推進総合戦略と銘打つ計画の割には、「オレンジプラン」と比べても、あまり、インパクトを感じられません。このプランで、本当に「認知症者700万人時代」に対応できるのだろうか、という不安を拭うことができないのです。

認知症の方々の権利擁護は、どうなるのか。地域での生活は、どうなるのか。「V・認知症の人を含む高齢者にやさしい地域づくりの推進」では、「①生活の支援」「②生活しやすい環境の整備」「③就労・社会参加支援」「④安全確保」の四つの視点からポイントを挙げていますが、いずれも具体性が見えてきません。

例えば、「④安全確保」では、独居高齢者の安全確認や行方不明者の早期発見、保護を含めた地域での見守り体制の整備、高齢歩行者や運転能力の評価に応じた高齢者の交通安全の確保、詐欺などの消費者被害の防止、成年後見制度（特に市民後見人）や法テラスの活用促進、高齢者の虐待防止と一通りの項目は列挙されていますが、実効性のある具体的な方策を窺うことができません。

先述したように、地域社会が疲弊し、地域で永年続いてきた伝統行事の維持・保存にも限界が来ているという実情の中で、認知症の方々への地域での見守り体制を整備するといっても、にわかに受け入れることができません。認知症サポーターの人数の目標引き上げ（８００万人）や認知症地域支援推進員の人数の目標引き上げ、認知症カフェの設置等々が、『新プラン』に盛り込まれていますが、最終的に頼りになるのは、弱まってきている「地域力」だと思います。地縁が薄くなってきている地域社会の中で、認知症の方々を見守っていく体制を、どのように整備していくか。大変な難題であると言わねばなりません。

また、「Ⅱ・認知症の容態に応じた適時・適切な医療・介護等の提供」においては、認知症の容態の変化に応じて医療・介護等が有機的に連携して、医療機関・介護施設等での対応が固定化されないように、最もふさわしい場所で適切なサービスが提供される循環型の仕組みを構築する、としています。確かに、適時・適切な医療・介護等のサービスの提供とは合理的ではあります。しかし、認知症の方は、新しい環境への順応力が弱い方が多いというのも現実のようです。適時・適切なサービスの提供という名目の下で、介護老人福祉施設等や病院（想定されるのは、主に精神科系医療機関でしょう）への入退所（院）が繰り返されることにはならないか。俗に言われる〝たらいまわし〟ということにならないか。認知症のご本人が、そのことで、本当に、適時・適切なサービスを受けるということになるのか、甚だ疑問が残るところです。認知症の多くの方が、環境が変わることで、却って、精神状態が不安定となり症状が悪化し、それによって、問題行動が重症化することが容易に想像できます。実際に、筆者も、認知症と診断された方の支援の経過の中で、ケアハウスから精神科病院へ入院する際に、強烈に抵抗をされた方がおられたことを忘れません。その後、病院へ面会に行くたびに、〝はよう（施設へ）かえりたい〟と言うのがその方の筆者と面会する時の口癖でした。もっとも、認知症を発症していない方でも、高齢期になると、たびたび住環境が変わることは大きなストレスになります。

一方、介護現場に目を向けると、現在でもなお、介護人材不足は解消されておらず、むしろ、慢性的な介護人材不足というのが実情でしょう。要介護状態の方が、介護施設等での生活を余儀なくされた時に、受け皿となる介護福祉施設等で良質で快適なサービスを受けられるように、環境を整備する必要があります。その最も大事な要件が、優秀な介護人材の確保でしょう。要介護状態になったり重い障がいをもって介護が必要になられた方が利用する介護福祉の現場が、〝3K職業〟と敬遠されて久しいです。介護福祉に従事するスタッフの労働環境を抜本的に改善しなくては、優秀な介護人材の確保は困難でしょう。

筆者は、四十数年間、社会福祉の現場に身を置く者として、「福祉は人なり」ということを確信しています。どんなに崇高な理念を掲げても、それを支えるスタッフが不足していたら、理念は空回りしてしまいます。それを支えるスタッフが有能でなかったら、温かい人格の持ち主でなかったら、崇高な理念は実現できません。そこでの「福祉」事業は、「福死」事業となってしまうでしょう。

また、介護分野における２０１８年度の有効求人倍率は３・９０であり、全職業（１・６１）より断然、高い水準で推移しています。介護現場を担う人材が集まりません。国も、「総合的な介護人材確保対策」として、①介護職員の処遇改善、②多様な人材の確保・育成、③離職防止・定着促進・生産性向上、④介護職の魅力向上、⑤外国人材の受入れ環境整備、を打ち出しています。

介護ロボットの導入支援やＩＣＴ活用推進等を、「③離職防止・定着促進・生産性向上」の目玉とし、「⑤外国人材の受入れ環境整備」では、在留資格に「介護」を創設する等の対策を掲げていますが、介護ロボットの導入、ＩＣＴの活用は、介護現場での人材の不足をどれだけ補うことができるか。外国人労働者の登用は、認知機能等の障がいをもつ方とのコミュニケーションに支障はないのか、危惧されることが数多くあります。

☑「介護福祉等人材確保法（仮称）」の早期制定を！

介護福祉分野の慢性的な人材不足を解消するためには、また、介護福祉の現場が〝３Ｋ職場〟と敬遠される現状を打破するためには、大胆な政策投入が必要であると考えます。ましてや、「認知症者７００万人時代」を乗り切るためには、小手先の弥縫策で取り繕っても、とても、対応ができないと思わざるを得ないのです。

筆者が、福祉の現場に身を置いて数年して学校教員の人材確保法が成立したことを思い出しました。

丁度、高度経済成長期で、民間企業の給与が右肩上がりで、学校教員や公務員よりも給与が高い水準にあったことから、大学新卒者を中心に、民間企業へ人材が流れることを防ぎ、優秀な教員を確保するために、時の総理大臣・田中角栄は、1974年に教員の人材確保法を成立させました。この政策により、教員の給与改善が達成したのです。

少子超高齢社会となって、今後、ますます、「人」の問題が深刻さを増してきます。「福祉は人なり」です。介護福祉従事者、医療従事者、保育従事者等の待遇を改善し優秀な人材を確保するために、思い切った「保育・医療・介護福祉人材確保法」(以下、介護福祉等人材確保法＝仮称)の制定を強く求めたいと思います。膨大な防衛予算削減や大企業優遇税制の廃止、政治家による目に余る税金の無駄遣いを見直せば、財源は自ずと生み出されてくるはずです。

繰り返しますが、「認知症者700万人時代」が目前に迫り、2025年までに約60万人の介護人材を増やさねばならないということは、極めて大きな政治的課題です。かつて田中角栄総理大臣が、優秀な人材が民間企業に流出しているのを食い止めるために、学校教員の「人材確保法」を大胆に成立させたように、今、この難題を解決するためには、小手先のメニューを総花的に並べるのではなく、「介護福祉等人材確保法」の制定等の大胆かつ速やかな実施は、

「認知症者７００万人時代」の到来を目前に控えて、待ったなしの状況に来ているのではないか、と思われるのです。

⑹「認知症者７００万人時代」を、チャンスにできないか！

筆者は、反面、「認知症者７００万人時代」の到来を、むしろ、地域社会の絆を再編するチャンスと捉えられないか、と提案します。

第１章でも考察したように、地域社会が疲弊し、地域力が脆弱なものとなってきています。地縁が希薄になり、孤独死しても数日、或いは数週間、誰にも発見されずにいた、という悲惨な現実を多く知っています。そのような中で、65歳以上の高齢者の約５人に１人が認知症者というデータは、見逃すことができません。

しかし、「認知症者７００万人時代」の到来とは、決して、他人事ではないはずです。認知症発症のメカニズムも、予防法も、治療法も、まだ、十分に研究されているとは言えません。どこの家庭でも、どの人にも遭遇するかわからない疾患です。わが国が、経験したことのない超高齢社会を生きていく上において、どのように生きていくべきか。「認知症者７００万人時代」を、どのように生きていくべきか、これは、国民的課題です。目前に迫った「認知症者７００万人時代」に、国民としてどう生きていくか、どのように関わっていくか、という課題をまともに検討する機運を盛り上げるのも、また、政治の責任です。

と言っても、筆者は、今の政治に多くを期待することができません。であるならば、私どもが住んでいる生活圏域ごとに、「認知症者７００万人時代」は、〝明日はわが身である〟ということを、真剣に語りあえる環境を創り出せないかと思います。地域社会にあるインフォーマル資源が有機的に連携して情報を共有し、温もりのあるネットワークを築いていくことができないかと考えています。

地域社会のインフォーマル資源とは、認知症サポーターや認知症地域支援推進員、当事者団体、自治会役員、老人会役員、婦人会役員、地区担当民生委員児童委員、福祉推進員、新聞・郵便・牛乳等の配達業者、地区防犯隊員、消防団員、地区有志住民等々が挙げられます。これらのインフォーマル資源に高齢者や障がい者の相談機関等のスタッフも専門的見地から関与し、定期的に協議会をもって情報と意見を交換し、日常的な見守り体制を築いていくことができないかと思うのです。形だけの機関ではなく、実際に具体的に活動できる機関でなくてはなりません。

この活動は、地域福祉の推進役としての市町村社会福祉協議会と、地域包括ケアシステムの中核機関としての地域包括支援センターが連携して、地域社会のインフォーマル資源へ呼びかけて実施できるのではないでしょうか。

私ども市民が認知症を正しく理解し、認知症の方を受け入れ、認知症の方を介護している家族を応援していく優しい社会、引きこもりや老老介護、多重介護等で幾つもの悩みや課題を抱えて暮らす家族に寄り添い、当事者から信頼され、当事者が抱えている課題を相談できる優しい社会は、「お上（かみ）」から与えられて築かれるものではなく、このように地域の自発的なインフォーマル資源が、〝認知症は明日はわが身〟という認識のもとに連携して築き上げられるものではないかと思います。

「認知症者７００万人時代」というピンチを、希薄になってきた地縁復活、弱った地域力の再生に向けたチャンスにすることができるのではないか。それは、もしかすると、「無縁社会」にひと筋の風穴を開けることにもつながるのではないか、と期待するのです。

そして、それはまた、市民参加による本来の意味での地域福祉を推進し、地域包括ケアシステムの大きな核になるのではないかと思うのです。

⑺　地域包括ケアシステム

厚生労働省は、約８００万人とも言われる団塊世代が75歳以上の後期高齢者になる２０２５年を目途に、「高齢者の尊厳の保持と自立生活の支援の目的のもとで、可能な限り住み慣れた地域で自分らしい暮らしを人生の最期まで続けることができるよう、住まい・医療・介護・予防・生活支援が一体的に提供される」仕組みとして、「地域包括ケアシステム」の構築を推進しています。

　人は誰も、住み慣れた地域で、思い出がいっぱい詰まった自宅で人生の最期まで生活を続けたい、という願いをもっています。以前の大家族制の時代には、それは当たり前でした。家族の誰かが病気になるや、家族が交代で氷枕を取り替えて看病したり、年老いた家族が亡くなる時には、枕元で子や孫まで家族皆が集まって最期を看取り、いのちの尊さ、いのちのはかなさを身をもって学んだことでした。それは、お世話になったいのちへの愛情の表現でもあったのでしょう。核家族制となった今では、そのような情景は夢物語となってしまいました。離れて暮らす年老いた家族は、いつの間にか遺骨になって消えていくのが当たり前になってしまいました。そこでは、いのちのつながりも、いのちの尊さも、家族の絆も、薄っぺらなものとしてしか伝わりません。その家族間で生前にトラブルでもあったのなら、それこそ、孤独死予備軍となってしまう現実を否応なく知らされてきました。

　そのような現実を直視すると、この地域包括ケアシステムには、超高齢社会における高齢者福祉の望ましいあり方が示されているように思います。この地域包括ケアシステムを推進する中核機関として地域包括支援センターが設置されています。

　課題は、理念どおりに「地域包括ケアシステム」が構築されていくか、ということでしょう。

　２００５年の介護保険法改正で「地域包括ケアシステム」という構想が示されましたが、その背景にあるのは、わが国の少子高齢化が急速に進行する中で、増加し続ける要介護者を支える介護資源（施設や介護人材等）が明らかに不足するという状況を踏まえ、公的サービスだけに頼るのではなく、地域にある力（家族やインフォーマル資源等）を活用し、介護と在宅医療の連携を推進することで高齢者を支えていくということです。少子高齢化から社会保障関係予算の増大を抑制するという目的も見え隠れします。

従来の入所・入院型の介護・医療体制から、在宅型の介護・医療体制に転換していくこと、と単純に片付けることはできませんが、介護が必要になられた高齢者の方々を、入所・入院一辺倒の処遇ではなく、重度な要介護状態になっても、可能な限り住み慣れた地域で人生の最期まで暮らせるよう、住まい、医療、介護、介護予防、生活支援が一体的に提供されることが地域ケアシステムの基本とし、さらに「自助」「互助」「共助」「公助」という四つの視点から整理しています。

☑ 地域包括ケアシステム展開における課題とは？

地域包括ケアシステムを実現するためには、多くの課題が考えられます。地域格差による需要と供給のバランス、特に、24時間サービス提供に必要な夜間のサービス提供体制が整備できるか？　家族の介護力が低下する一方で高齢者単身世帯が増加している現状から、要介護高齢者の病状急変時の体制が整備できるか？　地域の絆も希薄になってきている現状で、インフォーマル資源等の協力体制が整備できるか？　高齢者の地域生活を支える生活支援サービスを担う「互助」としての地域住民が確保できるか？　等々、様々な課題が見えてきます。

もっとも、想定されている地域ケアシステムは、それぞれの地域で、地域の実情に応じて作り上げていくことになっています。国としても、今後、介護サービスの主体を国から自治体へ移行しようとしていることから、地域によってサービス提供体制に格差ができて、自ずと住民が享受する介護サービスは質的にも量的にも格差が広がることは容易に想定できます。これは地域包括ケアシステムが直面している大きな問題点です。

なぜなら、当然の如く、よりサービスの充実している自治体へ高齢者やその家族が流出していくことが起こりうるからです。

どれもこれも、大変大きな課題です。これらの課題を、どのように克服していくのか。筆者は、大変危惧しているところです。

超高齢社会に突入し、国も財政的にひっ迫していることから地域包括ケアシステムの構想が、「自助」「互助」等を地域住民に押し付けて、介護福祉サービス関係予算、社会保障関係予算削減の足掛かりにすることだけは絶対に避けてもらわねばなりません。

☑ 地域包括支援センターの役割と期待

厚生労働省は、地域包括支援センターについて、「地域の高齢者の総合相談、権利擁護や地域の支援体制づくり、介護予防の必要な援助などを行い、高齢者の保健医療の向上及び福祉の増進を包括的に支援することを目的とし、地域包括ケア実現に向けた中核的な機関として市町村が設置」するとしています。所謂、地域包括ケアシステムを推進する中核機関として設置されている地域包括支援センター。

業務内容としては、地域住民の各種相談を幅広く受け付け制度横断的に支援を行う「総合相談支援業務」、高齢者虐待への対応、成年後見制度の活用促進を図る「権利擁護業務」、地域ケア会議等を通しての自立支援ケアマネジメント支援、ケアマネージャーへの日常的な個別指導、困難事例等への指導・助言等を行う「包括的・継続的ケアマネジメント支援業務」、要支援、要介護状態になる可能性のある方に対する介護予防ケアプラン作成等の「介護予防ケアマネジメント業務」が挙げられています。

厚生労働省の資料によると、２０１８年４月末現在、地域包括支援センターは５０７９カ所、ブランチ等を含めると７２５６カ所、全国で設置されており、２０１７年度の総合相談件数はセンター１カ所当たり２６０１件、介護予防支援数は２０１６年度は事業所１カ所当たり１２８０件で、相談件数は年々増加してきています。

筆者は、福井県内の地域包括支援センターが主催する処遇困難事例ケース検討会や地域ケア会議に永年、関わっていますが、そこで検討される事例は、あまりにも困難で複雑な要因が重なっているものばかりと言っても過言ではありません。センターに持ち込まれる多くの問題をはらんだ処遇困難事例のインテーク、さらに困難な環境の中でのアセスメント、それらを関係機関・多職種連携で対応していくことになる、と書くと数行でまとめられてしまいますが、行間には、センターに従事する保健師、社会福祉士、主任ケアマネージャー等のスタッフの方々の、大変な心労と苦悩が滲んでいることを看過してはなりません。

先の厚生労働省の資料で1センター当たりの平均職員数を確認すると6・0人となっており、少ないスタッフで、地域に横たわっている困難事例、多問題家族への支援をも行っていかねばならないことの大事さに気が付かねばならないでしょう。

地域包括支援センターで開催される処遇困難事例検討会や地域ケア会議等に出席させて頂くことで、筆者は地域社会に横たわっている多くの問題、8050問題で触れた経済的虐待や身体的虐待であったり、ひきこもり、生活困窮、介護放棄、介入拒否、多重債務等々の実態を学ばせて頂いていることは、大変有意義なことであると同時に、センタースタッフの方々のご心労に、切に敬服させられるばかりなのです。

ただ、人の物理的精神的なキャパシティには限界があります。目前に迫った「認知症者700万人時代」到来に向けて、地域包括支援センターの業務もますます増大していく一方です。スタッフを増員し、介護予防支援事業等は外部に委託して、センターは本来の設置目的である地域包括ケア推進体制の構築、地域住民からの総合相談支援業務等に特化した位置づけにする必要があると考えています。

そのような困難事例を〝主戦場〟とする地域包括支援センターに、筆者は大きな期待をしています。なぜなら、筆者の関わらせて頂いた地域包括支援センターのスタッフの方々は、どんな困難事例を抱えていても、皆、前向きで、地域包括ケアシステムを推進するのだ、という意欲が伝わってくるからです。

☑地域包括支援センタースタッフへのアンケートから

地域包括ケアシステム構想の中にある幾つかの事項について、筆者は、地域包括支援センターで日々業務を担っておられるスタッフの方々から、生の声を伺いました。どのご意見も、大変貴重な生の声です。

Q１：地域包括ケアシステムは、地域の自主性、主体性や地域の特性に応じて作り上げることが必要となっていますが、課題となることは？

スタッフからの回答

■地域住民への共生社会の必要性の周知、多職種で相談対応できるような体制づくり、他機関とのネットワークの強化等が課題。

■地域住民がケアシステムの意味を理解する必要がある（自助、互助につながる部分）。専門職だけがケアシステムの体制を整えるには限界がある。

■高齢者が住み慣れた地域で自分らしい暮らしを人生の最期まで続けることができることが重要だが、切れ目のない在宅医療と介護を一体的に提供する体制構築が、医師会との歩調にずれがあり、構築遂行が疲弊していることが課題。

■都会と違って自主的、主体的に声をあげ、新しいものを作り上げて行こうと思っている住民が少ない。消極さがネックになっているように感じる。

■先ずは、総合相談や個別ケースから地域を集団としてみる視点や共通点について、考える機会を設けることが必要だと思う。

■地域の若者の数が減っていること。社会参加する若者が減っているから、新しい担い手が現れず、メンバーが固定化し、そのメンバーも高齢化していく。若い人は昼間、仕事に出ているし、結局、参加できる者でするしかないから、今のような状態になってしまう。

■住民一人ひとりが個人的にできる範囲での地域見守りや声かけは、ボランティア活動に熱心な人たちの中ではそれなりにできているが、住民自身が〝自分たちの地区は自分たちで良くしよう〟という機運にまでは高まらない。行政の働きかけが悪いせいもあるが、問題解決となると、〝役場任せ〟〝家族任せ〟になりがちで、いつの間にか他人事になってしまう。

■高齢者は、〝もう、歳だから〟と言い、若い世代は、〝仕事があるから〟と理由がある。地域の住民皆の意識が変わらないと難しい。

考察

地域の特性や実情等を考慮してシステムを構築するという地域包括ケアシステム。一見、もっともと頷けるように思いますが、さて、地域の特性とは何なのか？　と振り返ってよく考えてみると、ファジーな答えしかでてきません。地域住民の高齢化率か？　サービス資源の整備率か？　〝まち〟か〝いなか〟か？　単身世帯が多いか多世帯同居世帯が多いか？　住民がボランティア活動に協力的かどうか？　等々。「地域の特性等」とは、こういうことなのか。

では、地域の自主性が乏しい地域はどうするのか？　住民が主体的にボランティア活動に協力するという主体性が見えない地域はどうするのか？

サービス資源が整備されていないところは、どうするのか？　設置する自治体の財源や地域が有するマンパワー等によっても、システムが大きく左右され、地域格差がでてくるのではないでしょうか。センタースタッフの方々の苦悩がこのご意見の中にもにじみ出ているように思います。

Q2：地域包括ケアシステムにおける「自助・互助・共助・公助」という役割のうち、「互助」について、どのように機能しているか、或いは、なかなか、機能しないか？

スタッフからの回答

■元々の土地柄で、地縁、血縁によるお互いの助け合い精神は、今でも残されていると思う。その点では喜ばしいが、自助・互助・共助・公助という役割を公的なシステムとして機能させようとすると（例えば、有償ボランティアとかになると）、住民自身が、〝そこまでしなくても〟と尻込みしてしまう。

■センターの地域は、団地、マンション等が多いことから閉鎖的なところも見られ、自発的な支え合い、という点では欠けるところもある。ただ、某地区は、「ゴミ出しボランティア」のモデルケースにもなっている地区で、ゴミ出しができなくて困っている高齢者の助けになっている面もみられる。

■近隣住民同士が協力してゴミ出しやおかずの差し入れ、声掛けを行っている。ただ、アパート住民等、日頃から近隣との付き合いがないと難しい。

■人付き合いが苦手な人や精神疾患があり閉じこもり気味の人は周囲も関わりにくい。

■地域住民やボランティアが仲間づくりや交流の場づくりをすすめており、閉じこもりや介護予防のための「地域ふれあいサロン」の活動を行っている。また、介護予防サポーターも地域で介護予防体操教室を行っている。

■「つるかめ体操」及び「ふれあいサロン」等、住民主体の通いの場は、91カ所で充足率が86・7％になる。また、地域見守り活動を、町内10事業所と協定を行った。地域ネットワークづくり等の構築にも努めている。

考察

地域で暮らす高齢者が安心して過ごせるよう「自助・互助・共助・公助」を適切にコーディネートし、不足しているサービス資源等を開発して様々な課題を解決していくことが求められています。この中で、ポイントとなるのが「互助」を、どのように機能させていくか、ということでしょう。回答をみる限り、或る程度、互助が機能しているようにも読み取れます。従来から存続していた地域のコミュニティが残されている証しとも言えます。しかし、過疎化、高齢化、人口減少化、核家族化、個人の価値観の多様化等によって、地域はどんどん疲弊してきています。それによって、地域を支えるインフォーマル資源が枯渇し、「互助」機能が不全マヒに陥らないよう、住民への積極的な啓発が大事になってくるのではないか、と思われるのです。

Q3：生活支援サービスの担い手に、「元気な高齢者が生活支援の担い手として活躍することが期待される」となっていますが、元気な高齢者の社会参加の現状は、如何ですか？

スタッフからの回答

■社会参加している方もいるが、現実は活躍する場が少ない。訪問すると、元気で暮らしている方は沢山いるのは事実なので、これを集約して発信できると良い。本来ならセンターの仕事かも知れないが、業務が多忙すぎてできない。社協とかと連携できないか？

■前向きに活躍されている方は、頭が下がるくらい地域のために動かれている。あとは、家に閉じこもりがちな方が地域に出てきて、参加する喜びを得ることと、その場に溶け込みやすい環境づくりが大切になってくると思われる。

■介護予防サポーターやふれあいサロンのスタッフとして住民ボランティアの方が教室だけでなく、日頃の地域見守りや声かけ活動も担ってくださっている。ボランティアとして活動したい方は、フォローアップ研修等にも熱心に参加されているが、一人の方が幾つも地域での役を持っているのが課題かと思う。

■自分の介護予防に対する意識は高いと思うが、他の方の支援にまではいかない。

■社会参加できそうな高齢者でも、〝迷惑をかけるといけないから〟と遠慮している方がいる。

考察

日本老年学会等が高齢者の定義を見直す提言をおこなった背景には、元気な高齢者には積極的に社会参加を促すという意味も含まれています。回答からは、元気な高齢者で、地域の生活支援を支える人材は、まだ特定の者に限られているということがわかります。元気な高齢者は、働けるうちは働いて賃金を得たいという方が多く、地域包括ケアシステムの生活支援の担い手、互助を支える人材というフィールドには加われないようです。

しかし、厚生労働省が行っている調査では、「現在住んでいる地域に住み続けるためには、どのようなことが必要か」という問いに、「近所の人との支え合い」（55・９％）が、「家族や親族の援助」（49・９％）より高いという結果もあるように、住民は、漠然とはしているが、地域社会と関わっていきたいという願いを持っていることがわかります。潜在的に持っているこの「願い」を、生活支援の担い手としてどう導きだしていけるかではないか、と思います。

Q４：地域包括支援センターのスタッフとして、ご苦労されることはありますか？

スタッフからの回答

- センターへ寄せられる処遇困難事例（虐待、権利擁護相談等、成年後見に関すること、精神疾患を併せ持つ認知症等）が増加しているとともに、長期化となっていること。
- ケアマネージャー業務が多く、委託できる居宅支援事業所のケアマネ不足に伴い、センター本来の役割が逼迫している。
- 困難事例（独居、キーパーソン不在、生活困窮等）への対応、書類の多さ（書類の作成に時間がかかる）等に苦慮している。
- 急な訪問や相談対応が入ると予定していたことができないので大変。
- 認知症や知的障がい、元々精神疾患をもっている高齢者の人たちで、援助してもらえる身内が不在であったり、居ても疎遠な事例が多く、後見制度や介護保険、福祉サービス等の公的制度に結び付けるまでに時間と労力を費やすことがとても多い。
- 家族が遠方に居たり関係が希薄なために、本人を支援する人が少ない事例への対応。
- 地域での支え合いが求められる一方で、我が事の意識が低いために、協議を行っても、その場だけの意見で終了してしまい、次につながっていかない。住民の自主性を高めていただくための啓発が難しい。

■業務が多忙すぎるために、地域づくりやネットワークづくりが手薄になっている。
■センターができて5年目。民生委員や地域のいろいろな方々が電話を下さるようになり、相談件数も増えてきた。様々な困難ケースに対応するたびに勉強になっていると思う。
■地域ケア会議の担当として、地域課題は何かという点を見出して、政策に反映させていく流れづくりに苦労している。
■家族がいても折り合いが悪い、身寄りがいない、または連絡先不明というケースが増加してきている。金銭面についての管理は後見制度があるが、その他の関わりを補ってもらえるところがなく、頼りになる身内がいない方はセンターでの対応が長期間となってくる。
■お金が無く借金があるという事例も増加している。介護サービスが必要であっても滞納があり、利用料の支払いが困難であったりする。食糧も買えず、センターで食べ物を準備し届けることもある。

考察

この項目の回答から、センタースタッフの方々が日々の多忙な業務で、いろいろと苦慮されていることがよく伝わってきます。筆者は、地域包括支援センターで勤務した経験はないので業務内容を十分に把握しているわけではありませんが、２００５年の介護保険法改正で地域包括支援センターが設置されて以来、介護保険法改正のたびに、新たな目的でセンターにいろいろな事業がかぶせられてきているのではないか、と危惧しています。所謂、丸投げ状態ではないのなら良いが……。処遇困難事例が増え続け終結まで長期化して、更に業務量を増大させている、と言えるのではないか。回答にもあるように、せめてケアマネージャー業務は外すべきではないか。

このまま、センターの業務量が増大していくと、本来、センターが果たすべき役割が疎かにならざるを得なくなる、と真剣に思えてきます。

Q5：地域包括ケアシステムについて（自由意見）

スタッフからの回答

- 医療機関やサービス事業所、民生委員等と協力しながら、地域の高齢者の見守りを行っていきたい。
- 国の示すモデルが機能的に稼働すれば理想的だとは思うが、現実的に医師と福祉関係職種との連携のハードルが高く、国や県との見解のズレを感じる。福井県は、この分野で遅れをとっていると思うので市町任せにせず、医師会との調整や「県としては、こうありたい」という強力な目標設定とリーダーシップとバックアップを希望したい。

■今後の連携づくりに関して、団塊の世代が75歳以上を迎える中、急がれるところもある。しかし、介護サービスが充実していく中、サービスに頼り残存機能を低下させることなくできなくなったところを自助で補う、また、一人ひとりが健康等を意識して活動していくという意識が必要であり、そこへの働きかけが、財政を圧迫することなく大切になってくると思われる。

■このシステムが現実になれば素晴らしい。しかし、このシステムにこぼれる人（あてはまらない＝経済的困窮、身寄りがない、８０５０世代等）の支援も必要で、二つの視点で進めていく必要がある。

■システムづくりは行ってきているが、現在の努力やシステムづくりで団塊の世代が後期高齢者になってからの介護を支えられるのか不安に感じている。現状でも、ケアマネージャーや訪問ヘルパー不足が起きている。

■我が事・丸ごとの方針だが、なかなか一つずつがつながりにくく、単体で動いているように感じる。実務の中では意識はしているが、難しい点もある。

考察

２０２５年に全員、後期高齢者の仲間入りをする団塊世代。「認知症者７００万人時代」の到来とも呼ばれていますが、この世代はまた、「ニューシルバーエイジ」とも呼ばれています。戦後のベビーブームで生まれて激しい受験戦争をくぐり抜け、高度経済成長の担い手としても骨身を削ったこの世代が潜在的に持っている力を、新しい地域づくりの主役として位置づけ、地域活性化の立役者になってもらうという働きかけも重要ではないか、と思います。

しかし、どのような重い障がいをもった高齢者でも、住み慣れた地域で暮らし続けることを保障する地域包括ケアシステムを地域で展開するためには、やはり、回答にもあるように、介護分野と医療分野の真の意味での連携を構築するということは大前提です。国や都道府県行政が、地域包括ケアシステムを本気で成し遂げる方針であるなら、もっと強いメッセージを発信して医師会等との連携調整を進めるべきです。

何度も指摘しますが、「認知症者７００万人時代」の到来は待ったなしです。行政が強いリーダーシップを発揮するのも、待ったなしなのです。

(8) 世帯構成割合にみる高齢者単独世帯の増加

「65歳以上の者のいる世帯について見ると、２０１7年現在、世帯数は２３７8万7千世帯と全世帯（５０４２万5千世帯）の47・２%を占めている。」（『高齢社会白書〈令和元年版〉』）ことが判ります。また、高齢者夫婦のみの世帯が32・5%、親と未婚の子のみの世帯が19・

9％。更に、高齢者のみの単独世帯は、26・4％となっています。

第二次世界大戦後の高度経済成長期が大都市への人口集中をもたらし、旧法下の大家族制も崩壊していきました。

筆者は、超高齢社会と、この高齢者夫婦のみの世帯、親と子のみの世帯、高齢者の単独世帯が、早晩、直面するであろう深刻な問題に大きな関心と危惧を抱いています。

高齢者夫婦のみの世帯は、いずれかの配偶者が死亡したあと高齢者単独世帯になることを考えると、高齢者夫婦のみの世帯の32・5％というデータのうち、かなりの割合の世帯が、いずれ高齢者単独世帯に移行すると考えねばなりません。もとより高齢者は有病率も高く、死亡のリスクも絶えずはらんでいます。

家族類型別一般世帯数の将来推計（2015～2040年）を参照すると、2015年の核家族世帯数は56・0％、単独世帯数は34・5％、その他世帯が9・5％となっており、2030年は核家族世帯数は55・0％、単独世帯数は37・9％、その他世帯が7・2％、更に2040年になると、核家族世帯数が54・1％、単独世帯数が39・3％、その他世帯が6・6％と推計されています。

つまり、2040年には、一般世帯数に占める単独世帯数は、約4割に達する見込みとなっています。高齢者の単独世帯や高齢者夫婦のみの世帯数が増加の一途を辿っています。

超高齢社会の闇は深く、次章で深掘りしたいと思います。

第3章　超高齢社会が抱える闇

⑴ 2025年問題

２０２５年問題と言っても、大阪で2回目の万国博覧会（大阪万博）が開催されるということではありません。

第二次世界大戦の敗戦後、すぐの第一次ベビーブーム（１９４７〜１９４９年）に生まれた、所謂〝団塊の世代〟が、２０２５年に全て75歳以上の後期高齢者の仲間入りをすることで、超高齢社会の問題が抜き差しならない段階を迎えること。これが、２０２５年問題です。

後期高齢者人口が推計２１８０万人となり、国民の約5人に1人が後期高齢者であるという、かつて経験したことのない超高齢社会が目の前にきています。待ったなしの「２０２５年問題」を幾つか考察していきます。

☑待ったなしの2025年問題

２０２５年問題の一つに、第2章⑸で考察した「認知症者７００万人時代」の介護の問題があります。国は、先に考察した地域包括ケアシステムを発表して、２０２５年を目途に対応することとしています。

厚生労働省が、２０１9年3月に発表した『介護分野の現状等について』によると、65歳以上の高齢者数は、２０２５年には３６７７万人に達し全人口に占める割合は30・０％、また、75歳以上の高齢者数は２１８０万人で全人口に占める割合は17・8％になると予測しています。よくテレビ番組等で使われる「国民の３人に1人が65歳以上、５人に1人が75歳以上」というワードが現実味を帯びてきます。更に、65歳以上高齢者のうち、約20％に当たる約７００万人が認知症高齢者になるだろう、とも推計されています。「認知症者７００万人時代」の由来です。

また、世帯主が65歳以上の夫婦のみの世帯数は６７６万３０００世帯、世帯主が65歳以上の単独世帯数は７５１万２０００世帯となって、世帯主65歳以上の夫婦のみの世帯、世帯主65歳以上の単独世帯の世帯数全体に占める割合は、26・４％になるだろうとの推計も出しています。その十年後の２０３５年になると、世帯主65歳以上の夫婦のみの世帯数は６６６万６０００世帯と減少しますが、65歳以上の単独世帯数は８４１万８０００世帯となり、世帯主65歳以上の単独世帯と夫婦のみの世帯の世帯数全体に占める割合は28・8％と推計され、65歳以上の高齢者世帯数の割合が、どんどん上昇していくことが分かります。65歳以上の夫婦のみの高齢者世帯数が減少するのは、いずれか一方の配偶者の死亡によって、65歳以上の単独世帯になるからだろうと容易に推測できます。更に、２０４０年には、世帯主65歳以上の単独世帯と65歳以上の夫婦のみ世帯の世帯数全体に占める割合は31・２％になり、わが国の全世帯の約３世帯に１世帯が65歳以上の高齢者のみの世帯、と言っても過言ではなくなることが予測されています。

☑「他人事」でなく「明日はわが身」として

超・超高齢社会の到来は、目前です。しかしながら、この目前に迫ってきている「認知症者７００万人時代」「超・超高齢社会」であるのに、国民の意識は、まだまだ〝他人事〟であるかのようです。日本人は、自分の身に〝災難〟が降りかからないと目が覚めない人種なのかも知れません。２０１１年３月11日に福島・岩手・宮城の三県を中心に襲った東日本大震災。膨大な被害をもたらし、数知れない人のいのちも、住み慣れた住まいも、故郷も、友も、何もかも奪われました。今なお行方の分からないいのちがあるという現実もあります。東京電力福島第一原子力発電所事故により、東北・首都圏を中心に約４００万世帯もの停電が起こり、日本国中が節電の生活を行いました。更に深刻なのが、発電機の爆発による大量の放射性物質の飛散により、影響を受ける周辺の自治体が住民共々、住み慣れた故郷から離散しなければならないという悲しい現実をも突き付けられたのです。

当時、日本国中で〝原発は要らない！〟という世論が沸き起こりました。今なお、原発事故で故郷を奪われた人たちの中には避難生活を余儀なくされている方がたくさんおられるのに、政権は、原発再稼働に動き出しています。国民の原発アレルギーもどこかへ消えていったのか、原発再稼働も、大多数の国民が黙認しています。

「FUKUSHIMAを忘れない」とのスローガンがあったではなかったか。

第二次世界大戦の敗戦、長崎・広島への原爆投下により、私たちの先輩は、広島の原爆の碑に「安らかに眠って下さい　過ちは繰返しませぬから」と誓ったのではなかったのか。

それなのに、「ナガサキ」「ヒロシマ」も「フクシマ」も無かったかのように、小市民的な生活にうつつを抜かしている私たち日本人。

私たちは、間もなく遭遇する「認知症者700万人時代」に、ありったけの想像力を駆使して、〝他人事〟ではなく、〝明日はわが身〟と認知して、この時代を切り拓く主体として積極的に関わらなくてはなりません。

☑２０２５年問題と介護の問題

国民の５人に１人が後期高齢者という社会の中で、やはり、問題となってくるのが、支援を必要とされる高齢者介護の問題でしょう。

介護保険制度における第１号被保険者（65歳以上）の要介護者等認定者数は、２０１６年度末で６１８万７０００人であり、２００７年度末の４３７万８０００人から９年間で１８０万９０００人増加している計算になります。さらに、２０１６年度末での要介護等認定の状況を、前期高齢者（65〜74歳）と後期高齢者（75歳以上）に分けた割合でみると、前期高齢者の要支援認定者数が23万７０００人で被保険者に占める割合が１・４％、同じく、要介護認定者数が50万７０００人で２・９％。これに比して、後期高齢者の要支援認定者数は、１４８万９０００人で８・８％、要介護認定者数が３９５万３０００人で23・３％。このデータから、後期高齢者になると、前期高齢者の要介護認定者の２・９％に対して要介護認定者数の割合が23・３％で約８倍となり、要介護認定者の割合が大きく上昇することが判ります。

65歳以上の「要介護者等の性別にみた介護が必要となった主な原因」を見ると、男性では、脳血管疾患（脳卒中）が23・０％で最も高く、認知症が15・２％、高齢による衰弱が10・６％、骨折・転倒が７・１％で続いています（その他・不明が33・２％）。女性は、認知症が20・５％で最も高く、高齢による衰弱が15・４％、骨折・転倒が15・２％、関節疾患が12・６％

で続いています（その他・不明が20・７％）。総数（全体）でみると、やはりトップが認知症で18・７％、次が脳血管疾患（脳卒中）で15・１％、高齢による衰弱13・８％、骨折・転倒が12・５％等となっています（その他・不明は24・９％）。

興味深いデータもあります。「介護が必要になった場合の介護を依頼したい人」という調査では、男性の場合、「配偶者」が56・９％でトップ、２位が「ヘルパーなど介護サービスの人」で22・２％、３位が「子」で12・２％となっているのに対して、女性の場合は、１位が「ヘルパーなど介護サービスの人」で39・５％、２位が「子」で31・７％、３位が「配偶者」で19・３％、という結果が出ています。男性は、自分に介護が必要になった時には配偶者に頼るのに対して、女性は、配偶者には頼らずに、ヘルパーなど介護サービスを利用したい、というのです。〝熟年離婚〟とか〝死後離婚〟とかの言葉が目立ち始めたのも、頷けそうです。

次に、「要介護者等からみた主な介護者の続柄」を確認します。「同居している人が主な介護者」が58・７％であり、事業者が13・０％、別居の家族等が12・２％となります。「同居している人が主な介護者」の内訳を見ると、「配偶者」が25・２％、「子」が21・８％、「子の配偶者」が９・７％、となっています。また、「同居している人が主な介護者」の性別では、男性が34・０％、女性が66・０％で、女性の割合が断然多くなっています。

超高齢社会における介護の問題は、ますます大きくなってきているのです。

☑ 介護人材を確保できるか

介護の必要な高齢者、とりわけ、寝たきりの高齢者の方々、重度の認知症の方々への介護については、国が目指している「地域ケアシステム」で対応できるのでしょうか。核家族社会になって、家族での介護力が極端に低下している現代において、介護サービスの利用も増大すると考えられます。

介護サービスを担う介護労働者については、慢性的な人材不足が叫ばれています。第2章でも触れましたが、厚生労働省が2019年3月に発表した「介護分野の現状について」より、介護労働者の現状等を探りたいと思います。

まず、「介護職員の現状」について、就業形態別でみると、介護職員（施設等）は、正規職員が61％、非正規職員が39％、訪問介護員は、正規職員が30・3％、非正規職員が69・7％となっています。また、年齢構成（性別・職種別）をみると、介護職員（施設等）が、男性で最も多い就業年齢層は20歳から39歳が56・3％、女性で最も多い就業年齢層は、40歳から59歳が48・1％となっていますが、60歳以上では、男性で9・6％、女性で17・9％の方が就業しています。同じく、訪問介護員では、男性が30歳から49歳が40・2％で最も多く、女性では、40歳から59歳が45・6％で最も多い就業年齢層となっています。60歳以上の年齢の就業率は、男性で24・2％、女性では39・8％となっており、高齢者の就業率も大変高いことが表れています。

次に、「介護サービス事業所における従業員の過不足の状況」によると、２０１７年度において、介護職員（施設等）は、12・２％が「大いに不足」、23・３％が「不足」で35・５％が不足していると回答し、訪問介護員では、26・０％が「大いに不足」、29・２％が「不足」で55・２％と、半数を超える事業所で、介護人材不足となっている現状が明らかになっています。「不足している理由」では、「採用が困難である」が88・５％、「離職率が高い」が18・４％、「事業拡大したいが人材確保できない」が10・８％と回答（複数）しています。

「第７期介護保険事業計画に基づく介護人材の必要数について」では、介護サービス見込み量等に基づき、２０２５年度末には、約２４５万人の介護人材が必要と推計されています。つまり、２０１６年度の介護人材数は１８３万３０００人であり、２０２５年度までの９年間で約61万７０００人の介護人材の確保が必要となる計算です。とても実現不可能な数字です。

第２章(5)「『認知症者７００万人時代』の到来」の項でも触れましたが、国は、総合的な介護人材確保対策として、①介護職員の処遇改善、②多様な人材の確保・育成、③離職防止・定着促進・生産性向上、④介護職の魅力向上、⑤外国人材の受入れ環境整備、という5項目の対策を打ち出しています。

③離職防止・定着促進・生産性向上の項目では、介護ロボットやＩＣＴの活用促進を、⑤外国人材の受入れ環境整備促進として、外国人介護人材の受入れ等を謳っていますが、政府が本

腰を入れて①介護職員の処遇改善や④介護職の魅力向上に取り組むのが先ではないか？　介護ロボットの活用や外国人介護人材の登用を、安易に考えていないか？　これまで、3K職業と揶揄されてきて、若者から敬遠されてきた介護福祉事業の職場環境を改善するためには、介護職員の処遇改善や介護職の魅力向上に政府が真剣に取り組まねばならないといえるのではないか。勿論、介護ロボットや外国人介護人材の介護現場への導入は、慢性的な日本人の介護人材不足が招いた苦肉の政策であろうし、外国人介護職員の介護技術が質的に低下していると指摘するのではありません。優秀な介護技術を体得して介護現場に臨んでいる外国人介護職員も多いでしょう。だが、認知症等の障がいを抱えている高齢者の方々との心の通ったコミュニケーションが可能なのか？　介護ロボットは、介護現場において、人間の数倍の介護支援を行うことができるでしょうが、その介護はあまりにも機械的で、あまりにも温もりが無くて、人生の終末期に受けるサービスにしては、違和感を払拭することはできません。

2025年問題に集約される、超高齢社会における高齢者介護については、抜本的な介護職員の処遇改善等がなされなければ、政府が目指している2025年度末に介護人材245万人確保という机上の目標は、到底達成できないだろう、と言わざるを得ません。

第2章(5)で、筆者が「介護福祉等人材確保法（仮称）」の早期制定を、と訴える所以であります。

⑵ ８０５０問題

80代の老親が、50代の子（息子、娘）と同居して生活している中で生じる諸問題としての所謂、「８０５０問題」ですが、更に、90代の老親と60代の子、70代の老親と40代の子との問題としての「９０６０問題」「７０４０問題」は、中高年層の引きこもり問題としても併せて社会問題として深刻化しています。

内閣府が２０１９年3月に発表した「生活状況に関する調査（平成30年度）」によると、中高年齢層（40歳から64歳）の引きこもり者数は、約61万３０００人とも推計されています。この調査は、該当人口の４２３５万人から５０００人を抽出して調査した標本調査なので、実数ではありませんが、その約7割が男性という結果も出ています。

８０５０問題に至る原因の多くは、同居する子の経済的な困窮を指摘することが多いです。会社をリストラ等で離職したり、老親の介護を理由とする介護離職、いじめや精神疾患等による長期のひきこもり、学校での不登校から長期間続いているひきこもり等が挙げられます。経済的基盤を持たない子は、親の、それも年老いた親の年金や貯蓄等を頼って暮らしていることが、今、深刻な問題となってきています。

☑ 消えた高齢者

『無縁社会　～〝無縁死〟３万2千人の衝撃～』のNHKスペシャルの放送があった数カ月後、「消えた高齢者」という〝事件〟がマスコミを騒がせました。具体的な事例を『無縁社会』から引用します。

「東京・足立区では、生きていれば百十一歳の男性が白骨化した遺体で見つかり、八十代の長女と五十代の孫が三十年以上前に死亡していたとして逮捕。東京・大田区では、百四歳で所在不明とされていた女性とみられる白骨化した遺体が長男のアパートにあったリュックサックの中から見つかり、長男は『母親が亡くなった後も年金をもらっていた』などと話した。」

消えた高齢者・年金不正受給問題は、東京だけでなく、地方でも次々発覚しました。老親と暮らしていた子が、親の死を隠し通して年金を不正受給し続けた事件。何とも表現しようのない事件。老親の死後、行政の窓口を訪ねることができず、地域の民生委員等にも相談できずに、腐敗していく老親の遺体を〝安置〟しながら、自動で振り込まれてくる老親の年金で生活してきたのでしょう。〝どうして誰かに相談できなかったんだ！〟と批判することは簡単です。このような〝事件〟を、他人事として捉えてはならないと思うのです。

親の年金に依存せざるを得ないようになった背景は何なのか。老親の元へ辿りついた道のりはどうであったのかはわかりませんが、おそらく、共依存関係の中から脱け出す術も力も失せてしまっていたのではないでしょうか。

「8050問題」は、この頃から社会問題化していったように筆者は捉えています。

札幌のアパートで、年老いた母親と50代の娘が低栄養状態で孤立死していた、という事件もありました。母娘は、近所付き合いも避け地域社会から孤立していった。遺体の状況から、老母が先に亡くなり、あとを追うように50代の娘が死亡したのだろう、とのことです。また、部屋には9万円ほどの現金が遺されていたというのです。娘は誰かに助けを求めるのでもなく、食材を求めて命を維持しようとするのでもなく、生きる意味も勇気も見いだせずに母のあとを追ったのだろう、と思うといたたまれなくなってしまいます。

どうして、地域社会とつながろうとしなかったのか。どうして、もっと早くにSOSをだせなかったのだろうか。その地域社会は、第1章で考察したように、地域住民同士のつながりも薄れ、SOSを出せるような環境でも、社会的に病んでいる人を癒やすような環境でもなくなってしまっているのではないでしょうか。

☑ 親亡き後

中高年層の子と暮らしている殆どの老親は、〝私がいなくなったら、この子はどうするのだろう！〞という不安を抱えています。

全国ひきこもり家族会連合会理事・藤岡清人氏の「ひきこもりをとりまく現状と課題について」と題する第146回市町村職員を対象とするセミナーのレジュメから「長期高年齢化・親亡き後の不安」をピックアップします。

親の不安として、「現在年金で貯金を切り崩して生活し、先行き不安」「親亡き後、息子が社会から孤立してしまうのではないか」「高齢になり介護が必要となった場合、どうすれば？」。

本人の不安として、「親も年を取り、自分も年を取っていく中で、先のことを考えると大変な不安がある」「40過ぎると自立のためにやり直す場所がない」「就労ができず、金銭的な面が一番困っている」。

更に、兄弟姉妹の不安として、「親はあきらめているのか動こうとしない」「本人にも変化がなく、自分の将来にふりかかってくるのかと考えると不安で」「身内にひきこもりがいることを周囲に話せない」。

ここには、「８０５０問題」当事者の方々からの赤裸々な不安、叫びが聞こえてきます。「親亡き後、息子が社会から孤立してしまうのではないか」との不安に絶えず悩ませられながら、親は、ひきこもりの子と暮らしている。その不安とは、当事者の方々にしか理解できないのだろうか。或る支援機関の担当者が、ひきこもり状態にある親子の世帯を訪ねて相談を持ち掛けたが、〝他人の世話になりたくない〟と介入を拒まれたという事例を、筆者は幾つも見聞していますが、なぜ、他人の世話になりたくない、と介入を拒まねばならないのか。先に引用した全国ひきこもり家族会連合会理事の藤岡清人氏のレジュメに依ると、当事者の方々が支援機関を利用しても、支援を途絶した理由として、本人からは、「窓口をたらい回しにされたから」「親身でなく、相手にされなかった」「最初の面談で力尽きてしまった」等々、家族からは、「窓口の対応が事務的で親の不安や本人の苦しみ、気持ちへの理解がなく徒労感」「本人が来ないとどうにもできない、と門前払いだった」「たらい回しで同じことを一から説明することに疲れてしまった」等々の声が上がっています。

親亡き後の不安は、当事者の方々にとって、とても深刻な悩みです。「わらにもすがる思い」ではないのでしょうか。しかし、その悩みを、勇気をもって相談支援機関に打ち明けようとしても、この声にあるように、相談機関が「親身」になって対応してくれなかったら、〝他人の世話になりたくない〟と言って、もう支援を期待することを諦めてしまうのではないかと思うのです。

川北稔氏は、『８０５０問題の深層』の中で、親の気持ちを代弁して、次のように書いています。

「子どもが外に出ることも、働くことももうない。また、これからどうするかを子どもと話し合うこともできそうにない。子どもを託しておけるような親族もいなければ、行政機関も期待できない。

『どのくらい資産を残せば自分たちの死後、子どもは生きていけるのか』これは、不信感や絶望が幾重にも重なった結果出てくる言葉ではないだろうか。」

このような深刻な悩みを抱えて暮らす当事者の方々に、親身になって悩みを傾聴する支援者が、是非とも必要です。親身になって相談を受ける気迫があれば、対象者の家庭への半ば強引なインテークも、対象者の方はきっと受け入れてくれるはずだ、と筆者は経験上、思っています。

☑ ひきこもり

２０１９年5月から6月にかけて、ひきこもりとされる中高年男性が絡んだ、世間に驚愕を与えた2件の「事件」が立て続けに発生しました。

１件目の事件は、年老いた親族宅で10年以上ひきこもり生活を続けていた50代男性が自宅を飛び出し、持参していた包丁で通学用スクールバス乗り場でバスを待っていた小学生や保護者に次々と襲い掛かり、２人が死亡、十数人が負傷したという背筋が寒くなる事件。犯人となる男性は、事件後、自殺して動機は不明のままとなっています。

２件目の事件は、この事件から数日後、エリート官僚を勤め上げた70代の父親が、ひきこもり生活だった息子を殺害したという事件。この事件は、息子が自宅近くの学校の運動会の音に腹を立て、〝ぶっ殺すぞ〟と叫んでいたことを聞いた父親が、数日前に起きたスクールバス乗り場殺傷事件を思い起こし、自分の息子も、この事件のように第三者に危害を加えてしまうのではないか、と思い余って息子をあやめてしまった事件です。この二つの事件を受けて、テレビの情報番組や新聞等が、連日のように〝ひきこもり〟を報じ、大きな社会問題としてクローズアップされました。

これらの事件が引き起こされた背景を探ることはできませんが、世間に対して〝ひきこもり〟の人たちに対するネガティブな印象を増幅させたのではないかと危惧しています。しかし、私たちが、今、考えなければならないことは、ひきこもりをして暮らしている人たちと共に暮らせる社会づくりを模索していくことではないかと思うのです。

この二つの事件から数週間後、「ひきこもりの状態にある方やそのご家族への支援に向けて」という厚生労働大臣名での次のようなメッセージが発出されました。少し長くなりますが引用します。

「（前記の二つの）事件など、たいへん痛ましい事件が続いています。改めて、これらの事件において尊い生命を落とされた方とそのご家族に対し、心よりお悔やみを申し上げるとともに、被害にあわれた方の一日も早いご回復を願っています。

これらの事件の発生後、ひきこもりの状態にあるご本人やそのご家族から、国、自治体そして支援団体に不安の声が多く寄せられています。

これまでも繰り返し申し上げていますが、安易に事件と『ひきこもり』の問題を結びつけることは、厳に慎むべきであると考えます。

ひきこもりの状態にある方やそのご家族は、（略）生きづらさと孤立の中で日々葛藤していることに思いを寄せながら、時間をかけて寄り添う支援が必要です。（略）

ひきこもりの状態にある方を含む、生きづらさを抱えている方々をしっかりと受けとめる社会をつくっていかなければならないという決意を新たにしました。（略）」


この厚生労働大臣の「決意」にあるように、私たちが、「生きづらさを抱えている方々をしっかりと受け止める社会」をつくるには、どうしたら良いのか。官民協働で、失われてきた地域社会のつながり（地縁）の復活を目指す取り組みに、決して諦めないで取り掛かっていかなければならないのではないか。核家族化への流れの中で、〝マイホーム主義〟という言葉が流行った時期もありましたが、自分の家族さえ良ければという排他的な考えが支配していけば、ますます深刻な超高齢社会となっていくこの国は、本当に、手の付けられない「無縁社会」となってしまうのではないのでしょうか。

ひきこもり対策推進事業や生活困窮者自立支援事業、成年後見制度利用支援事業等のフォーマル資源を組み立て、自治会、民生・児童委員、福祉推進委員、婦人会、地区防犯隊・消防団、当事者家族会等の地域のインフォーマル資源等がネットワークを構築し、本来の意味で連携し情報を共有しつつ活動していくことができないか。活動する上においては、個人情報保護法という厄介な法律が足かせになることも多いのですが、当事者団体、家族会等が加わっていれば、個人情報の〝壁〟も崩れるはずです。当事者団体や家族会の参加の可否が、活動の意味を大きく左右することになるはずです。そして、当事者団体や家族会の参加の可否とは、ネットワークに加わるメンバーが、本当に「親身」になっているかどうかで判断されるはずです。

☑ひきこもり支援と「傾聴」のすすめ

ひきこもり支援において大事なことは、芹沢俊介氏の次の言葉が、とても示唆に富んでいます。

「引きこもる人にとって必要な支援とは、社会に引き出したり押し出したりすることではなく、受けとめ手になるということ。つまりその人の状態を肯定し、一緒にいることで安心を提供してあげることです。」

生きづらさを抱えて暮らしているひきこもりの方への支援にとって大事な視座は、支援者と呼ばれる関係者が、当事者の方から信頼される存在であるか、ということであるはずです。その最も大事な関わりが、「傾聴する心」で当事者の方々に向き合うということです。

「傾聴」とは、事務的にヒアリングするというのではなく、「聴」という語に示されているように、「十四」の「心」を持って、「耳」を「傾」けて相手の思いに寄り添う、という意味があります。「十四の心」とは、思いやる心、広い心、共感する心、愛おしい心、冷静な心、受容する心………等々。つまり、人間が本来持っているありったけの優しい心をもって相手の言葉を聴く、ということ。当事者の悩みや思いを漫然と「聞く」のではなく、心を傾けて能動的に「聴く」ということ。当事者が発した言葉だけでなく、その言葉の背後にある声なき声を聴くことで当事者の気持ちを理解すること。その心は、きっと、相手の傷ついた心に響き、心を開いてくれるのです。これは、関係者がアウトリーチを行う際の、最も大事にしなければならない対人援助技術の基本となるものです。

⑶ 老老介護・認認介護

超高齢社会においては、家庭内における介護の問題も深刻になってきています。65歳以上の高齢者が同じく65歳以上の高齢者を介護する所謂、「老老介護」は、超高齢社会においては、当たり前になってくることでしょう。

『高齢社会白書（令和元年版）』によると、要介護者からみた主な介護者の年齢では、男性の70・１％、女性の69・９％が60歳以上であり、70歳以上では、男性が41・６％、女性が36・８％です。また、要介護者からみた主な介護者の58・７％が同居家族であり、内訳は、配偶者が25・２％、続いて子が21・８％、子の配偶者が９・７％。さらに同居家族の66％が女性となっています。

このデータからも、主な介護者は女性で、「老老介護」の実態が読み取れます。

医療技術の進歩や生活環境等の向上、食生活等の改善によって平均寿命は延びています。これは、大変喜ばしいことです。しかし、健康寿命との間の期間が「老老介護」の期間となっていることは否めません。健康寿命とは、介護等を必要としないで日常生活を健康に営むことのできる期間を言いますが、平均寿命との差は大体、どのようになっているのでしょうか。

『高齢社会白書』をもとに、２０１６年の男女別平均寿命と健康寿命を比較しますと、男性では、平均寿命が80・９８歳、健康寿命が72・１４歳、女性では、平均寿命が87・１４歳、健康寿命が74・７９歳となっています。つまり、男性は約9年、女性では約13年の差があり、この期間が、それぞれの平均的な介護を要する期間になるわけです。この約10年前後の期間に、お互いが加齢化し、体力も衰えていき、介護度も重度化していくにつれて、「老老介護」の深刻な実態が露呈していくことになるのです。

☑「共倒れ」の信号は赤信号

もっとも要介護者が、要介護３以上の介護認定を受けていれば介護老人福祉施設等への入所も可能ですが、配偶者等の介護を受けて自宅で暮らしたいという思いがあったり、入所費用等の経済的負担を理由に入所を見送ったり、他方、施設利用を申し込んでも相変わらず介護老人福祉施設等は入所待機者で満杯の状態。また、訪問介護サービスや通所介護サービス等を利用することも可能ですが、経済的理由でサービス利用を控えたり、他人の世話になりたくないとか、他人に家の中に入ってほしくない等々の理由で介護保険のサービス利用を拒んでいる方が多いのも事実です。

そうこうしているうちに、介護者の認知機能も低下してきて、認知症の介護者が認知症要介護者を介護する、所謂「認認介護」状態となるリスクも大きくなってきています。核家族化が進んでしまった現代において、頼りになる親族が近くにいないことで社会からも孤立し、ＳＯＳを発信できずに共倒れになる深刻な現実があります。これはもう、国民全ての〝明日はわが身〟の問題です。

先に引用した『高齢社会白書』の統計で、「同居している主な介護者の介護時間」をみると、総数では、「必要なときに手をかす程度」が44・5％で最も多いが、次に「ほとんど終日」で22・1％、「半日程度」が10・9％と続いています。要介護度別で「ほとんど終日」をみると、「要介護5」は54・6％、「要介護4」が45・3％、「要介護3」が32・6％と、当然のことながら、要介護者の介護度が重くなるにつれて同居する介護者の介護に要する時間が長くなり、介護負担も重くなっています。ほとんど終日、介護に追われている介護者の身体的・精神的な負担は尋常ではなく、介護者、要介護者共倒れの危険性さえはらんでいます。

介護者の、精神的にも肉体的にも幾重にも重なるストレスや介護への悩み等を相談できる機関として、各市区町村に設置されている地域包括支援センター等の機関があっても相談に出向かない。介護者家族会のような当事者団体の集いにも参加しない。ショートステイ等のレスパイトケアを目的としたサービスも利用しない。

近くに頼りになる親族も見当たらず、介護福祉サービスの利用も控え、第三者のサポートも求めずに、ぎりぎりまで「老老介護・認認介護」で頑張ってきて共倒れになる。そんな悲惨な実態を見逃しておいて良いのでしょうか。

☑介護疲れによる殺人、自殺が後を絶たない

マスコミ等で、介護者の多重介護疲れによる事件の報道が後を絶たないのも現実です。

筆者の住んでいる福井県においても、２０１９年11月、同居していた70代の女性が、介護状態にあった義父母と病気の後遺症で身体が不自由になった夫の３人を殺害した、という大変ショッキングな事件が起きました。事件の詳細は省きますが、女性は、明るく優しい性格で献身的に３人の介護を一手にこなし、義母も〝うちの嫁は村一番や〟〝良くしてくれている〟と近所の人たちに自慢していた。ただ、事件の前に、女性は知人に、〝介護が大変になった〟〝しんどい！〟というＳＯＳを発信していたというのです。

なぜ、このような〝優秀な介護者〟が、〝村一番の嫁〟が、三人もの命を一晩のうちにあやめねばならなかったのか。

一方、この女性は、多重介護の犠牲者でもあったのではないかと思うのです。年老いた二人の義理の親の介護や家事全般を担い、数年前に脳梗塞を発症して身体が不自由になった夫が経営する会社の事務もこなし、夫の通院付き添い等にも奔走していたという女性。どう見ても、多重介護と呼ばねばなりません。福井地検は２０２０年４月、女性を殺人罪で起訴したのです。老老介護・認認介護に悲観した無理心中事件も、各地から報道されています。

厚生労働省が公表している「高齢者虐待防止法に基づく対応状況等に関する調査結果」を参照すると、２０１８年度に「虐待等による死亡事例」は、21件で21人の死亡が報告されています。

年々深刻さを増している高齢者介護に絡む事件。

警察庁が発表している「自殺統計」はどうか。２０１９年中における「介護・看病疲れ」を原因・動機とする自殺者数は２４３人で、２０１７年の２０６人、２０１８年の２３０人と年々増え続けてきています。この２０１９年中の自殺者２４３人のうち、60歳以上では１６４人であり、男性が１０７人、女性が57人となります。この数字は、老老介護においても、男性が介護者になった場合、介護に行き詰まる可能性が女性よりも高い、と読み取ることができるのではないでしょうか。性別で断定することはできませんが、どちらかというと介護は苦手な男性が、配偶者等の介護を担わねばならなくなったときに介護・看病に行き詰まり、自殺に追い込まれる。男性に限らず、高齢者の介護・看病疲れによる自殺者の数が年々増え続け、「介護殺人」とか「老老介護無理心中事件」のような、何とも複雑な思いをもって受け止めざるを得ない事件が続発するばかりであるというこの現実は、超高齢社会における大変深い闇であることを、私たちは強く認識しなければなりません。

老老介護、多重介護の当事者を孤立させて悲惨な事件を繰り返させないためにも、当事者が居住する自治会等を中心とした、一歩も二歩も進んだ強力な見守りの仕組みを作っていかなければならないのではないでしょうか。

☑警察による「巡回連絡」に期待!!

筆者の地域では、十数年程前までは、管轄の警察官駐在所から警察官（〝おまわりさん〟と呼んだ方が良いか？）が定期的に地域の住民宅を巡回してきて、家族構成を確認したり何か困りごとがないか？　等々を聴取したりしていましたが、近年は何故か、おまわりさんの定期的な巡回は殆どありません。おまわりさんが行う管轄地域の見守り巡回は、地域の防犯、安全、平穏な暮らしを守る大事な業務であるはずです。

おまわりさんの定期的な地域住民宅への巡回によって、「ひきこもり」や「介護殺人」、「生活困窮」「虐待」「消費者被害」「孤独死」等々の超高齢社会が抱える闇の「芽」を把握することができるのではないか、と筆者は考えています。深刻な闇の芽を早期に発見して、関係者が情報を共有し連携して対処していく。そのためにも、駐在所のおまわりさんによる巡回連絡を強化していくべきだと考えるのです。

悲惨な「事件」が起きるたびに、決まったように〝当事者が、外部の第三者の介入（関わり等）を拒んだために支援に入れなかった〟という行政等からのコメントが繰り返されます。確かに、現実はその通りです。筆者も、民生委員として活動する際には、関わりを拒否される当事者宅を訪問することは躊躇します。個人情報保護法という〝厄介な〟法律も壁になります。

しかし、おまわりさんは、業務として、地域を巡回連絡によってどこの家庭へも訪問できるという〝特権〟があります。個人情報保護に覆われた社会において、警察組織に頼ることに抵抗がある方も多いかも知れません。でも、どんどん匿名化、無縁化が進んで行く社会にあって、復活すべきことは、やはり、人と人のつながりであるはずです。

多重介護に疲れている家族に寄り添い、相談できる環境を取り戻す。ひきこもりで社会と関わりを拒んでいる家族であっても、誰か関わりをもてるキーパーソンが要る。個人情報保護法という壁が強固になってきた現代において、その最前線となるキーパーソンは、もしかすると、職務としてどんな家庭でも巡回訪問できるおまわりさんであり、定期的な「巡回連絡」の強化である、とも思わざるを得ないのです。

⑷「選別されるいのち」があった

２０１９年12月に中国武漢市で初めて感染が確認された新型コロナウイルス感染症は世界中に感染が拡大して、２０２０年６月末時点で感染者数１０３０万２０００人超、死亡者数50万５０００人超を数え、今なお、終息の見通しは立っていません。世界中の人類がかつて経験したことのないような非常事態に見舞われて経済も社会生活も停滞し、感染者を受け入れる医療現場もひっ迫した状況になりました。

世界中が新型コロナウイルスに震えていた４月５日、『朝日新聞』１面トップの「80歳　選別された命」と白抜きされた大きな見出しに目を見張りました。「呼吸器　若者に」と小見出しがついた記事を読み進めていくと、唖然としました。記事を抜粋します。

スペインの首都マドリードに住むオスカル・アロさん（47）は先月20日、感染がわかった父親ベニートさん（80）の入院先の医師から電話で告げられた。「死なせることを許してほしい。人口呼吸器はつけられない。若い患者に回さないといけないから」。病院は重症患者であふれ、救うべき命の選別が始まっていた。

父親の死から2週間余り、いまも遺体がどこにあるのか、わからない。（略）

スペインで初の死者が確認されたのは3月3日、危機感の薄かった政府が外出制限を決めたのは14日。（略）いまは連日1千人近くが亡くなる。オスカルさんは、「国が父を死なせた」と憤る。

高齢者だからと言って、ひとの命が「選別」されて良いのか。新型コロナウイルスに感染した患者があふれ医療崩壊した現場で、人工呼吸器が足りないから高齢者の命を「選別」しても仕方がないと言うのか。

超高齢社会を生きる私たちは、この事例をどのように考えるべきなのでしょうか。高齢者の命が絶対に「選別」される対象であってはならない、と筆者は強く思います。

そのように強く問題意識をもっていた10日後の『福井新聞』に、「障害者団体など『命の選別』懸念」という次の記事が掲載されました。

新型コロナウイルスの感染拡大で、不足する人工呼吸器を誰に優先使用するべきかという議論が日本で始まっているとして、障害者団体などが13日までに、障害を理由とした「命の選別」を行わないよう求める安倍晋三首相宛ての要望書を提出した。海外では実際に選別が行われており、「優生思想につながる」と訴えている。

要望書では、米国のニューヨークなどで「現場の医療スタッフの判断で、高齢者や重度障害者に呼吸器を装着せず、高齢者の呼吸器を外してより若い人に付け直すことが起きている」と指摘。「日本でも医療従事者の間で『誰に呼吸器を配分すべきか』というルール作りの議論が始まっている」と危機感を示した。

☑ＮＨＫＥテレ『バリバラ』で「トリアージ」を問う!!

さらに、２０２０年5月7日放送のＮＨＫＥテレの『バリバラ』では、「新型コロナＶ７★世界テレビ会議」という企画で、世界7カ国の障がい当事者の方々によるテレビ会議形式で、新型コロナウイルスが全世界へ感染拡大していることによって表面化してきた「命の選別」について、深刻な問題が提起されました。

『バリバラ』では、世界の障がい者の方から命からの叫びに似た現状が報告されました。一部を紹介します。

□ベルギーの欧州自立生活ネットワークリーダーのナディア・ハダドさん（四肢マヒ）からの報告

ルーマニアの精神障がい者施設で、障がい者242人、職員59人が新型コロナに集団感染しました、治療の対応が、職員と障がい者とで違っていたのです。感染した職員は地元の病院にかかることができました。でも、感染した障がい者は施設の中に残され何の医療支援もないまま隔離されたのです。地元の病院は小さく、全員の治療ができないから、と。職員が優先され、障がいのある多くの人が亡くなったのです。衝撃的な記事がSNSで拡散され報道されるまで、誰も助けに来てくれなかったのです。このような例は、ヨーロッパ全域に拡がっています。

□特に欧米の医療現場では、トリアージの基準をめぐってさまざまな問題が沸き起こっています。イギリスからの報告です。

３月下旬にイギリスの国立医療技術評価機構（ＮＩＳＥ）が発表したガイドラインには、「障がい者のように身の回りのケアを他人に頼る人は優先順位が下がる」ということが書かれていました。

イギリス医師会は、「治療に時間がかかる患者は、たとえ回復傾向がみえても集中治療をやめて他の患者に回すよう助言した」と言います。

□このように、トリアージの基準をめぐって問題が起こっている中で、イギリスのジョン・ハスティーさん（筋ジストロフィー・人口呼吸器使用）は、自分の思いを伝える動画をユーチューブにあげ、ニュースで報じられて注目されました。

このガイドラインでは、もし私の容態が悪化しても回復に時間がかかりそうだと、救命処置はなされないでしょう。

切り棄てないでください。

私たちは、統計上の数字ではない、生きている人間なんです。

ただ、みんなと同じように生き延びるチャンスが欲しいのです。

優先してとは言いません。

私たち障がい者は、治療のチャンスすら与えられずに、死ねというのですか？

怒りを通り越して恐怖を感じます。
私の命にも価値があります。

□トリアージとは、医療現場で行われる「命の選別」「優先順位付け」、災害時など医療資源が制約される中で行われることがある。医療現場としても非常につらい決断。一体、何が基準になっているのか？　ジョン・ハスティーさんは、続けて訴えています。

トリアージありき、の議論は危険です。私が気になることは、幾つもの機関が早々にガイドラインを出してきたことです。障がい者を、切り棄てる口実を与えているようです。

□現在、シカゴで障がい福祉を勉強している大橋ノアさん（筋ジストロフィー・人口呼吸器使用）は、次のようにコメントしています。

だれが生きるべきか、だれが生きるべきでないかという考え方は、以前から社会の中にあったのではないか、と思うのです。それが、コロナによって表面化したのではないんですか。

筆者は、この番組の終盤に紹介された東京大学教授で新型コロナウイルス感染症対策専門家会議メンバーの武藤香織氏の次のコメントで少し安堵しました。

トリアージの議論をする際には、障がい者など弱い立場の人たちが参加して意見を言えることが重要。

どのような時代にあっても、高齢者や障がい者等の社会的弱者は、人権がじゅうりんされてしまうのか、生きる権利さえも奪われてしまうのか。それは、絶対に許されないことではないのですか。

ますます深刻になっていく超高齢社会において、高齢者のいのちが「選別」されることなく、豊かな人生を全うできるような社会づくりに知恵を出し合っていかねばならない。全世界を震え上がらせている新型コロナウイルスは、大事なひとのいのちの問題をどう捉えるのかを、改めて提起しているのです。

⑸ 高齢者単独世帯のリスク

高齢期になればなるほど、独りで生活する上において、多くの生活上の困難が待ち構えていると言っても過言ではないでしょう。

独り暮らしをしているデイサービス利用者の方が、夜間、脳梗塞を発症して自宅内で骨折し転倒したまま朝を迎え、デイサービス事業者の送迎スタッフが迎えに行ったときに転倒している本人を発見して救急車を呼んで何とか一命を取りとめた、という事例を筆者は幾つも知っています。第1章で取り上げた『無縁社会　～"無縁死"3万2千人の衝撃～』の悲惨な事例を持ち出すまでもなく、独りひっそり孤独死というリスクもあります。また、巧妙な手口で高齢者を襲う悪徳商法による被害等、深刻なリスクを挙げなければなりません。

東京都福祉保健局監察医務院が公表する東京23区における「異状死数」の統計を参照すると、２００８年では、65歳以上単身世帯の孤独死が総数で２２０５件で男性が１２８２件、女性が９２３件であり、10年後の２０１８年には、総数で３８６７件、うち男性が２５１８件、女性が１３４９件と確実に増加しています。また、同院が公表している東京23区の「令和元年夏の熱中症死亡者の状況（確定値）」（屋内死亡者数）を見ると、家族と同居が41件であるのに対して、単身住まいが81件で家族と同居の2倍近い死亡者数となっています。更に悲しいことは、死亡者でクーラーを使用していた者がたったの2件だけということです。何という現実。酷暑とさえ形容される真夏の東京で、クーラーも使えずに孤独死していたという事例を思うに、いたたまれない思いが募ります。

一般世帯数に占める単独世帯数の割合を『人口統計資料集』で調べると、２０２５年には

36・9%、2040年には39・3%になると推計しています。2025年には一般世帯の3分の1強が単独世帯となり、2040年には4割近い世帯が単独世帯となると推定されています。このデータも重視しなければなりません。超高齢社会において、高齢者単独世帯が急増するということは、絶えず生活上のリスクを抱えている世帯が当たり前になってしまうという闇であるからです。

『高齢社会白書』によると、60歳以上の男女を対象にした「孤立死を身近な問題と感じているか」との調査では、一人暮らし世帯の15・9%が「孤立死を身近な問題」と「とても感じる」と回答し、34・8%が「孤立死を身近な問題」と「まあまあ感じる」と回答しています。60歳以上の一人暮らしの5割強の人たちが、孤立死を身近な問題と感じながら生活していることが窺えます。

1995年に制定された『高齢社会対策基本法』には、前文に、「我が国は、国民のたゆまぬ努力により、かつてない経済的繁栄を築き上げるとともに、人類の願望である長寿を享受できる社会を実現しつつある。今後、長寿をすべての国民が喜びの中で迎え、高齢者が安心して暮らすことのできる社会の形成が望まれる。そのような社会は、すべての国民が安心して暮らすことができる社会でもある。」と、謳われています。

私たちの先輩は、第二次世界大戦の敗戦から起ち上がり、まさに「たゆまぬ努力」で戦後復興を果たし、わが国を世界有数の経済大国に築き上げたということを、私たちは決して忘れてはいけません。しかしその社会が、「人類の願望である長寿を享受できる社会を実現しつつある」と言えるでしょうか。60歳以上の一人暮らし世帯の半数以上が、「孤立死を身近な問題」とおびえながら生活しているという現実を見ると、とてもとても「長寿を享受できる社会」とは言えないのではないか。真夏の酷暑の中で、クーラーも付けずに熱中症で孤立死していた、という事例に出遭うたびに、前文が目指す「長寿をすべての国民が喜びの中で迎え、高齢者が安心して暮らすことのできる社会」とは、あまりにもかけ離れていることに、言葉を失います。「長寿をすべての国民が喜びの中で迎え、……」。厚生官僚が作成した作文に違いありませんが、あまりにも現実離れし過ぎて嫌悪感さえ抱いてしまいます。

わが国が突き進んでいる超高齢社会は、ますます深い闇に覆われていくばかりではないのでしょうか⁉

☑「独居高齢者」ではなく「おひとりさま」の老後⁉

社会学者でジェンダー研究の第一人者で知られる上野千鶴子氏は、「おひとりさま」を自認し、2007年に出版した『おひとりさまの老後』は大ベストセラーになりました。筆者は、この本がベストセラーとなって、「おひとりさま」ブームをわき起こしたことで、いわゆる「おひとりさま」という言葉も、存在も、社会に〝堂々〟と、ポジティブに認知されるようになったのではないか、と思っています。「独居高齢者」「高齢者単独世帯」と表現するより、「おひとりさま」と名乗ったほうが、堂々としているようでもあり、開き直っているようにも聞こえませんか。

「長生きすればするほど、みんな最後はひとりになる。結婚したひとも、結婚しなかったひとも、最後はひとりになる。」

上野千鶴子氏の「おひとりさま」シリーズの〝処女作〟である『おひとりさまの老後』は、このような文章から始まっています。当たり前といえば当たり前ですが、人は皆、おひとりさま予備軍ということでしょう。

しかし、やはり「独居高齢者」と「おひとりさま」では、何か違和感があります。言葉の遊びをするつもりはありませんが、「おひとりさま」というと、どことなく経済的にも精神的にもゆとりがあって、社会ともそれなりに繋がっている人たちをイメージしますが、「独居高齢者」との語感には、ネガティブで経済的にも精神的にもゆとりがなく、地域社会とも交流が乏しい人たちをイメージしてしまいます。

「おひとりさま」ブームによって、確かに「おひとりさま」は市民権を獲得しましたが、「不安がなくなれば、なあーんだシングルの老後って、こんなに楽しめるのだから……」という上野氏の言説には、首をかしげたくもなります。２０１０年１月に放映されたＮＨＫスペシャル『無縁社会　〜〝無縁死〟３万２千人の衝撃〜』の映像が今でも目に焼き付いている筆者にとっては、とても「おひとりさま」の最期、と悠長に片付けることができません。

☑「在宅ひとり死」は可能か？

おひとりさまの在宅死は可能か？　と模索する上野千鶴子氏は、『おひとりさまの最期』で、次のように述べています。

「おひとりさまが暮らしの場で介護を受け、そのままそこで死を迎える……ことができれば、『在宅ひとり死』の達成です。介護と医療・看護を担ってくださる専門職のチームの支えがあれば、けっして『孤独死』ではありません。」と、「在宅ひとり死」を〝推奨〟しています。その「在宅ひとり死」の条件として、上野氏は「⑴24時間対応型の巡回訪問介護、⑵24時間対応の訪問看護、⑶24時間対応の訪問医療の多職種連携による3点セット、これさえあれば可能です。」としています。上野氏は、現在お住まいの地域にこの3点セットのサービスが整備されているから、「在宅ひとり死」は安泰だと言っていますが、これだけのサービスが整備されている地域は、あまり見当たらないというのが実情です。

厚生労働省発表の2016年12月末時点での「定期巡回・随時対応サービス」を調べると、指定を受けている事業所数は全国で953カ所となっていますが、県によっては1カ所の事業所しか指定を受けていないところもあり、地域格差は大きいことが分かります。大都市圏では、それなりに整備されつつありますが、地方都市では、まだまだ未整備のところが目立ちます。上野氏が推奨する「在宅ひとり死」の条件を満たすには、この24時間対応型の「定期巡回・随時対応サービス」が整備されていることが必須です。

定期巡回・随時対応サービスの定義として厚生労働省は、「①一つの事業所で訪問介護と訪問看護のサービスを一体的に提供する『一体型事業所』②事業所が地域の訪問看護事業所と連携をしてサービスを提供する『連携型事業所』⇒訪問看護（居宅での療養上の世話・診療の補助）は連携先の訪問看護事業所が提供。いずれにおいても、医師の指示に基づく看護サービスを必要としない利用者も含まれる。」としています。第５期介護保険事業計画における「定期巡回・随時対応サービス」についてのアンケートで、これらのサービスの整備についての検討状況をみると、人口30万人以上の保険者の73・８％が具体的に検討を行ったと回答していますが、人口１万人以上５万人未満の保険者は15・９％、人口１万人未満の保険者では９・１％に留まっています。また、具体的に検討を行わなかった理由については、全体で、「参入する事業者の見込みがないため」が68・６％で最も多く、「十分な情報がなかったため」が26・５％、「サービスの利用ニーズがないため」が25・４％という結果が出ています。さらに、定期巡回・随時対応サービスに対する保険者のイメージでは、全体で、「都市部以外では成立しないサービス」で、「そう思う」「ややそう思う」とした保険者が76・１％にものぼり、「参入に向けて大幅な職員の増加が必要」で「そう思う」「ややそう思う」が75・５％、「在宅介護の経験の浅い職員は対応できない」「定期巡回に多くの職員配置が必要」が共に70・7％という結果です。

厚生労働省は、重度者を始めとした要介護高齢者の在宅生活を24時間支える仕組みが不足していることに加え、医療ニーズが高い高齢者に対して医療と介護との連携が不足しているとのことから、①日中・夜間を通じて、②訪問介護と訪問看護の両方を提供し、③定期巡回と随時の対応を行う「定期巡回・随時対応型訪問介護看護事業」を、２０１２年４月より創設していますが、都市部以外では成立しないサービスとして敬遠している事業所が多いのが現状のようです。

上野氏も、「在宅ひとり死」には、できるところとできないところで大きな地域格差があることは認めています。その原因としては、夜間に対応できる訪問介護事業所が増えないこと、夜間勤務を引き受けてくれるヘルパーが増えないこと、移動コストがかかりすぎて採算がとれないこと、介護報酬が低すぎて参入の魅力がないこと等を挙げています。今後も、この３点セットが増えていくという可能性は、それほど高くないのではないでしょうか。であるならば、「おひとりさま」が安心して「在宅ひとり死」を迎えられるのは、上野氏のような居住地域的にも経済的にも恵まれた環境にある人に限られる、と言っても過言ではありません。

☑ 孤独死

上野千鶴子氏が〝豪語〟する「在宅ひとり死」は、ごく限られた条件を満たした高齢者を対象にしているにすぎず、大半の単身世帯の高齢者は、やはり、日々「孤独死」のリスクと隣り合わせで暮らしていることになります。実際、60歳以上の一人暮らしの５割以上の方が、孤独死を身近な問題と感じている、という内閣府の調査結果があります。孤独死者数は、年間３万人とも４万人とも言われていますが、団塊世代が75歳以上の後期高齢者に到達する２０２５年にはこの2倍、３倍の死者数になるだろうとも推計されています。超高齢社会が抱える大きな闇であると言わねばなりません。

東京都福祉保健局監察医務院が公表している東京23区における２０１９年中の65歳以上の単身世帯の者の自宅での孤独死者数を見ると３９１３人であり、内訳が男性２５３４人、女性１３７９人で男性が約65％を占めています。

女性に比べて男性のほうが、近所の人との付き合いが苦手なようです。『高齢社会白書（令和元年版）』の「近所の人とのつきあいの程度」では、単身世帯の男性は近所の人とのつきあいを「親しくつきあっている」は16・7％、女性は34・6％。「あいさつ以外にも多少のつきあいがある」では、男性17・6％、女性28・4％で、合わせても、女性が男性に比べて2倍程度、近所の人とのつきあいがあるという結果がでています。

男性にとって、終身雇用制によって築かれてきた職場への依存心、忠誠心、人間関係等の基盤が会社を定年退職等でリタイアするや、途端に社会から孤立していくというパターンが多くみられています。

単身生活者の孤独死。本書の冒頭で取り上げた、NHKスペシャル『無縁社会 〜〝無縁死〟3万2千人の衝撃〜』の映像に登場する男性単身者の孤独死の情景に立ち戻ってしまいます。

第1章で考察した血縁、地縁がどんどん希薄化してしまっているこの国、ニッポン。超高齢社会の進行で、更に深刻な状態になってしまうのでしょうか。

もう一度、疲弊してしまっている地域の中で、共に人としてのいのちをいただいたもの同士として、同朋として、個人情報保護法とか他人の関わりを拒んでいるとかの壁に諦めないで、高齢者単身世帯へも８０５０世帯へも、定期的な声掛けや見守りを自治会役員や民生委員等、地域社会のインフォーマル資源が連携、協力して動き出さねばならないのではないでしょうか。

孤独死。筆者にとって、もっとも目にしたくない言葉。一番早く消えて欲しい言葉。

私たちが、他人の生活に干渉しないと決め込んでしまわないで、人として隣人を思いやる心をもっていたら、孤独死は減少していくのではないのか⁈　孤独死・孤立死・無縁死という言葉がなくなるような取り組みを、猶予なく始めていくべき時がきているのではないでしょうか。

高齢者世帯、或いは、先に触れた「８０５０」世帯における高齢者虐待、悪徳商法被害等も看過できません。

⑹ 高齢者虐待

２００５年11月1日に国会で全会一致により可決成立した「高齢者虐待の防止、高齢者の養護者に対する支援等に関する法律」（以下、「高齢者虐待防止法」という）が２００６年４月に施行されて以来、高齢者虐待が一層表面化してきました。

高齢者虐待防止法成立の背景には、２０００年４月にスタートした介護保険制度により介護サービス関係者等からの虐待の通報等や、介護サービス提供事業者のスタッフによる利用者への不適切な処遇等によって虐待が顕在化してきたこと、また、介護疲れによる無理心中等の悲惨な事件等、高齢者に対する権利侵害が目立ってきたという社会的課題への対応として、高齢者虐待を防止・救済するための仕組みづくりが急がれたということがあります。

高齢者虐待防止法の「目的」は、第一条で、「高齢者に対する虐待が深刻な状況にあり、高齢者の尊厳の保持にとって高齢者に対する虐待を防止することが極めて重要であること等にかんがみ、高齢者虐待の防止等に関する国等の責務、高齢者虐待を受けた高齢者に対する保護のための措置、養護者の負担の軽減を図ること等の養護者に対する養護者による高齢者虐待の防止に資する支援のための措置等を定める」としています。

高齢者虐待防止法は、「高齢者虐待の防止、高齢者の養護者に対する支援等に関する法律」という長い題名からも窺えるように、高齢者虐待が、人間としての尊厳を著しく侵害するものであることを確認し、高齢者への権利侵害を予防、除去し、虐待を受けた高齢者も、虐待を行ってしまった養護者も共に支援の対象であること、また行政の責務等が定められています。

高齢者虐待防止法施行初年度の２００６年度は、虐待判断件数が54件、相談・通報件数が２３７件であったものが、２０１８年度は虐待判断件数が６２１件で11・５倍、相談・通報件数も２１８７件で約９倍と上昇し続けています。

高齢者虐待は、自宅や介護施設等の中で、いわば、密室で行われているためになかなか表面化しにくいこともあり、公表されているデータは、実態とは程遠い氷山の一角だと考えた方が良いでしょう。

公表されたデータで虐待の種別を確認すると、要介護施設従事者による虐待で最も多いのが身体的虐待で57・５％、次に心理的虐待が27・１％、介護等放棄が19・２％となっており、養護者による虐待では、身体的虐待が67・８％、次いで心理的虐待が39・５％、介護等放棄19・９％、経済的虐待17・６％という結果となっています。要介護施設従事者による虐待も養護者による虐待も、最も多いのが身体的虐待、次が心理的虐待、介護等放棄となっており、養護者による虐待では、経済的虐待も高い割合で認められています。

要介護施設従事者による虐待と養護者による虐待を別々に考察していきます。

☑要介護施設従事者への支援

養介護施設従事者（以下、「施設職員」という）による虐待判断件数、相談・通報件数が、初年度において極端に少なかったのは、虐待防止法制定の趣旨が十分に周知されていなかったこと、或いは、高齢者に対する不適切な処遇を関係者が黙殺していたこと等が考えられます。

虐待の発生要因について、施設職員によるものでは、「教育・知識・介護技術等に関する問題」が58・０％で最も多く、次いで「職員のストレスや感情コントロールの問題」が24・６％、「倫理観や理念の欠如」「人員不足や人員配置の問題等」がそれぞれ10・７％。養護者による虐待の発生要因をみると、「虐待者の介護疲れ・介護ストレス」が25・４％で最も多く、次いで「虐待者の障がい・疾病」が18・２％となっています。

施設職員による「教育・知識・介護技術等に関する問題」が虐待発生要因の1位になっているのは、慢性的な介護人材不足の中で、欠員を補充する際に、取り敢えず採用、取り敢えず就職という形で職員補充が安易に行われ、福祉の理念も介護技術も持たない人材が即戦力として確保されていることによる弊害が露呈してきていると思われます。

マスコミ等の報道で、施設職員による施設利用者への目に余る虐待事案が相ついでいるのを見るにつけて、行政機関による処遇の監督指導を徹底すべきであると強く思います。筆者も、成年後見人としてご本人が入居している施設等を訪問した際に、あまりにも乱暴な言動で利用者の方を呼びつけている場面に出くわしたことがあり、その都度、施設管理者に面会して、利用者への処遇改善を図るために、施設職員に対する教育、研修を徹底的に行うよう求めたことが何度かありました。利用者の方の多くが〝終の棲家〟ともなる介護施設において、高齢者介護の福祉的理念や介護技術をもたない施設職員による虐待が右肩上がりで増加しているという現実は、絶対に断ち切らねばなりません。

野沢和弘氏は、『なぜ人は虐待するのか』の「はじめに」で、次のように書いています。

「虐待はどこにでもあります。どれだけ見つけ出して福祉から追い出しても、次から次へと虐待の芽は生えてくるのです。鬼のような悪い職員を見つけ出して罰しようと思っても、そんな顔をした職員は見つかりません。ふだんは、みんなやさしそうな顔をしているのです。やさしい顔をした人が、ある日、自分でも気がつかないまま鬼になっているのです。」

そして、同書の「おわりに」では、「虐待をなくしていく取り組みは、人間の弱さに気づき、その弱さを慈しむことから始めないといけないようにも思います。障がい者だけでなく、私たち自身の弱さのことでもあります。虐待を起こす魔物は私たち自身の弱さの中にあるのです。」と、虐待に至るおそれのあるリスク要因を分析しています。

利用している高齢者に対して、高齢者の人格の尊厳が守られる生活環境を提供するには、福祉サービスを提供する施設職員が、なにより施設法人総体として、どんなに重い認知症の高齢者であっても、そのかけがえのない人格の尊厳を守り抜くという固い理念を施設職員皆が共有していく取り組みを不断に研鑽していかねばならないのではないでしょうか。それは、野沢氏が指摘する「私たち自身の弱さ」に気づくことでもあるのだと思います。

☑養護者への支援

養護者（高齢者の世話をしている家族、親族、同居人等）による虐待は、２００６年度の虐待判断件数が1万２５６９件、相談・通報件数は1万８３９０件、２０１８年度は、それぞれ1万７２４９件、３万２２３1件で虐待判断件数では1・３倍、相談・通報件数では1・7倍増加という結果がでています。

あるデイサービス事業所で利用者の方が、入浴支援を受けるときに脱衣したところ、介護職員が、利用者の身体に何カ所も赤く腫れ上がった痣を確認したので、本人に痣のことを訊ねると、本人は〝どこかで転んだんだろう〟と答えたという。本人は、自宅で息子に暴力を振るわれて身体的虐待を受けていることを隠そうとする。息子に暴力を受けても、本人は、〝自分の育て方が悪かったからや〟と思い込み、家の中で起きている虐待を〝恥〟として外部の第三者に打ち明けようとしない。このような隠れた虐待事例は、枚挙に暇がない、と言うべきでしょう。公表されている数字が、氷山の一角といわれる所以です。

養護者と被虐待高齢者とが自宅という密室で暮らしている中で起こる虐待。被虐待高齢者と虐待を行った養護者との同居・別居の状況では、虐待者とのみ同居が50・9％で最も多く、虐待者及び他家族同居が36・1％で、合わせると86・9％の被虐待高齢者が虐待者と同居していたことが分かります。本来ならば、要介護状態になった時に、同居の親族から介護を受けられることは、高齢者単身世帯よりも孤独死等のリスクが回避されることから、安心した暮らしを送れるはずです。しかし、介護度が重度化し疾病等が重なってくることで、知らず知らずのうちに養護者の介護負担が重くなってくる。養護者による虐待発生要因1位の「虐待者の介護疲れ・介護ストレス」については、老老介護、８０５０問題に代表されるように介護力が脆弱な中での高齢者介護の負担が大きなストレスとなって虐待という悲惨な事態を生じさせていると考えられます。

被虐待高齢者の76・3％が女性であり、年齢区分では「80～84歳」が24・4％、「75～79歳」が20・5％という結果がでています。虐待を行った養護者の続柄は、「息子」が39・9％と最も多く、次いで「夫」が21・6％、「娘」が17・7％という結果となっています。「８０５０問題」で、年老いた母親と同居している息子による虐待、という想像したくない情景が思い浮かんでしまいます。

さらに、２００6年度からの高齢者虐待防止法の施行後、毎年20名以上の高齢者が虐待によって死亡しています。２０１8年度までの死亡者の合計は３２３名となり、この数字も決して看過するべきではありません。

しかし、高齢者への虐待を防止するためには、虐待を行った養護者（虐待者）を一方的に攻撃するだけでは解決しません。養護者への支援という視点が大変重要になってきます。虐待に至るプロセスには、多種多様な背景や要因が指摘されます。日常的な介護の中で養護者が精神的にも肉体的にも疲弊し虐待に至ってしまう事例や、長年の嫁姑・夫婦・親子等の歪んだ家族関係を素地にして介護をきっかけにして一気に虐待に至ること、高齢者本人の性格や人格等、本人の特性によると思われるもの、養護者の経済的困窮、精神疾患、認知症に対する無理解、介護の長期化による介護負担によるもの等々、複雑な要因が絡み合って虐待として表面化することになる、と言えます。

地域包括支援センターに虐待事例の情報が寄せられ、被虐待高齢者、養護者（虐待者）、家族等へのアセスメントを的確に行い、虐待発生要因を見極め、関係機関で情報を共有し、課題を整理し、課題解決へ向けて具体的な対応策を検討する、という図式が描かれますが、そう簡単に事が運ぶはずがありません。虐待対応段階で、様々な課題が山積していることが露呈されます。その中で、最も対応に苦慮するのが、養護者との関わりではないか、と思われます。

養護者への支援について、『高齢者虐待防止法』では、第14条に「市町村は、（略）養護者の負担の軽減のため、養護者に対する相談、指導及び助言その他必要な措置を講ずるものとする。」と規定しています。つまり、養護者への支援が、虐待の発生を防止することに有効であることから、支援内容については、総合的・多面的なものが用意されるべきです。

介護疲れ、介護うつ等、養護者はメンタルヘルスに不調を訴える者も多く、メンタルヘルスケアは欠かせませんが、関係者の介入を拒否する養護者が多いのも事実です。地域包括支援センターの担当者が、虐待を疑われる養護者と面談したときに、攻撃的な言動で脅迫を受けたという事例もあります。地域社会との関わりが薄い養護者に対して、地域で開催されている介護者家族会等への参加を促しても、足が向かないことは容易に想像できます。養護者に関われるキーパーソンは誰なのか。〝虐待をしてしまっている〟養護者の思い、悩み、心配ごと等は何なのか、を真剣に傾聴する支援者に、養護者は次第に心を開いていくのです。養護者支援において大事なことは、決して〝虐待をしてしまっている〟養護者に対して、虐待という行動を支援者自身や社会の常識で裁いてはならない。虐待という行為そのものには客観的に評価を加えるが、養護者自身については、審判することなく受容し、理解する必要があるということです。

アメリカの心理学者・バイステックが提唱した『ケースワークの七原則』から「非審判的態度の原則」を、養護者支援においてもよく理解して関わる必要があります。養護者にとって、関係者が自分を裁かないという実感が感得されることで、関係者を受け入れ、養護者の問題解決に結びつくのである、と言えるでしょう。虐待対応においても、対人援助技術を駆使して当たらねばなりません。

そこで表明された養護者自身が抱えている悩み、課題等に向き合う中で、必要に応じて精神的な支援や生活支援を行う具体的な方策が明らかになってくるのではないでしょうか。高齢者虐待防止は、養護者支援から始まり養護者支援で終結する、と言っても過言ではないように思うのです。

(7) 高齢者の消費者トラブル

悪徳業者による高齢者をターゲットにした消費者トラブルも後をたちません。

高齢者夫婦や単身で暮らしている高齢者の多くは、地域からも孤立し様々な不安を抱えながら生活しています。悪徳業者は、そんな不安につけ込んで高齢者に接近してきます。特に単身高齢者は、一人暮らしの寂しさから、悪徳業者が言葉巧みに、一見、親切そうに語りかけてくる話術にはまりこみ、結果的に被害を被ってしまうのです。認知症のある高齢者には、判断能力の衰えにつけ込んで不安をあおり、信用させて高額な契約を結ばせる、という手口が横行しています。

『高齢社会白書（令和元年版）』によると、２０１８年度は70歳以上の者の関与する消費者トラブルの相談件数は約23万件で、ここ数年間、約20万件前後で推移しています。同じく、振り込め詐欺の認知件数は約１万６３００余件で被害総額は約３４９億円という巨額な被害を受けています。

マスコミ等を通じて、悪徳業者の消費者被害防止の注意を喚起してもなかなか効果が出ていないようです。

日頃からどんなことでも相談できる人がいない高齢者にとって、悪徳業者が次々と新たな手口で言葉巧みに接近して年金や貯蓄等の大事な財産を狙ってきても対抗する術がありません。それが、巨額な被害となって出てくるのです。

悪徳商法からの被害を未然に防止するためには、悪徳業者と接触した高齢者が、すぐに消費者センター等の相談機関へ相談を持ち込むことが基本ですが、認知機能が衰えていたり、そのような手段を心得ていない高齢者には対応ができません。かと言って、普段から付き合いのない地域住民等が、高齢者宅へ悪徳業者とおぼしき人物が出入りしていることを見かけても、高齢者本人へ直接関わることは難しいものです。このような場合には、住民から警察や消費者センター等へ通報して対応を委ねるしかないでしょう。

このような被害を防止するためにも、やはり、地域に高齢者を守る見守りネットワークを構築しておかねばならないと思います。地域との関わりを拒み自宅に閉じこもっている高齢者も、本人を取り巻く見守りネットワークが自分を守ってくれるということが実感された時に、心の扉を開いて支援を求めてくるはずです。

⑻ 認知症行方不明者1万7400人超　過去最多を更新

警察庁が公表した「令和元年における行方不明者の状況」によると、2019年に全国の警察に届出された行方不明者は8万6933人。過去10年間、8万人台のほぼ横ばいで推移していますが、認知症が原因で行方不明になったとして警察に届け出たものは、1万7479人で、前年より552人多くなっています。この数字は、過去最多を更新したことになります。

行方不明者数の原因・動機別の割合は、年齢階層に応じて変化がみられています。20代・30代は事業職業関係、40代は家庭関係、50代は疾病関係（認知症以外）が最も割合が高く、60歳以上では認知症による行方不明者の割合が最も高く、70代では大半、80歳以上では殆どが認知症を原因とする行方不明者となっています。

行方不明を届け出た時から所在確認までの時期は71・7％が届出当日で、99・4％が1週間以内に所在を確認されています。一方、460人が死亡した状態で発見されています。

また、2019年の全ての行方不明者に占める認知症が原因での行方不明者の割合は20・1％と初めて2割に達しており、年々、認知症での行方不明者が占める割合が高くなってきています。超高齢社会が進むに伴い、認知症を原因とする行方不明者の割合は、今後、ますます高くなっていくことが容易に予想されます。警察庁の発表にあるように、行方不明から1週間以内に99・4％が所在確認されているということですが、460人が死亡した状態で確認されたという事実に、筆者は、僧侶としても深い無念の思いを抱かざるを得ません。

認知症高齢者の徘徊等による事故も、社会に大きな影響を与えることもあります。その最も注目された事故として、2007年に愛知県大府市で起きた認知症高齢男性（当時91歳）が、徘徊中にJRの電車に轢かれ死亡した事故があります。この事故を巡って、JR東海は、この男性の家族（同居する妻と他県在住の長男）に対して約720万円の損害賠償を求めて訴訟が提起されました。一審の名古屋地方裁判所判決は妻と長男に請求額全額の賠償を命じ、二審の名古屋高等裁判所は妻に約360万円の賠償を命じたものの上告し、最高裁判所第三小法廷は、「介護する家族に賠償責任があるかは生活状況などを総合的に考慮して決めるべきだ」とする判断を示し、「妻と長男は監督義務者にあたらず賠償責任はない」と逆転判決が言い渡され、JR東海側が敗訴したものです。

この事故当時も、最高裁の逆転判決があった当時も、マスコミ等で大きく取り上げられ社会問題となりました。最高裁は、事故当時、85歳と高齢で要介護1の認定を受けていた妻は法定の監督義務者と同視できないと判断し、賠償責任はないとしたものです。

認知症高齢者を介護する家族や関係者にとって大きな意味を持つ判決でありましたが、この判決をもって認知症高齢者を主体とする事故に監督義務者としての家族等の責任が問われないということでは決してありません。

認知症者700万人時代を目前に控え、高齢者が住み慣れた地域で自分らしい人生を全うできる社会を目指して地域包括ケアシステムが提唱されていますが、徘徊等の周辺症状をもつ重度認知症高齢者へのリスクを伴う家族介護のあり方も悩ましい問題があり、地域社会の見守り体制の強化をはかることが喫緊の課題であると言わねばなりません。

⑼ 高齢ドライバーの運転免許返納問題

また、近年、頻繁にマスコミ等で報道される高齢ドライバーによる事故も、目立ってきました。

特に、２０１９年4月に東京・池袋で旧通産省高級官僚男性（当時87歳）が運転する自動車が暴走して歩道を通行中の母子２人を死亡させ、８人に重軽傷を負わせた事故は、大きく報道され、高齢ドライバー問題が大きくクローズアップされました。

警察庁「高齢運転者に係る交通事故の現状」（２０１７年9月末現在）によると、「75歳以上の高齢運転者による死亡事故件数及び構成比」では、死亡事故件数は２９４件であり、交通死亡事故件数全体に対する構成比は12・９％となっています。

また、「運転免許統計」で、「申請による運転免許の取消件数」（所謂、運転免許自主返納件数）を調べてみると、２０１８年に42万１１９０件であったのが、２０１９年には60万１０２２件と前年比17万９０００件超と激増しており、「運転経歴証明書交付件数の年別推移」によれば、2018年に34万6195件が2019年には51万9188件と前年比16万件超であり、大幅な増加という結果が出ています。

2018年から2019年にかけて運転免許自主返納件数が急激に伸びたのは、先に紹介した東京・池袋での87歳男性運転手による悲惨な事故が影響しているのではないか、との多数の指摘があります。

もっとも、70歳以上の高齢ドライバーには、1998年から運転免許更新時に「高齢者講習」が義務付けされています。約2時間の講習では、講義や運転適性検査等が実施されており、更に、2009年からは、75歳以上の高齢ドライバーを対象に認知機能検査も加えられました。しかし、高齢ドライバーによる事故は減少しておらず、高齢ドライバーによる事故を減らすという目的で導入したこれらの取り組みも、当初の目的は達成されておらず、2017年に認知機能検査の運用の変更がなされていますが検査の実効性も疑問視されています。

超高齢社会において、高齢ドライバーによる交通事故及び自動車運転免許自主返納の問題は、大変悩ましい問題でもあります。公共交通網が整備されている都市部や、地方都市でも車以外に代替交通手段が整備されているところでは免許自主返納はそんなに問題となることではなく、筆者のように、地方の交通インフラが整備されていない地域に生活している者にとっては運転免許を自主返納した途端に交通難民となる可能性があり、当然のように生活維持のために運転免許を手放すことに執着していることが多いというのが現実です。

☑ 運転免許返納と代替移動手段の確保

高齢ドライバーの運転免許返納は、返納による社会的孤立、買物難民の増加等、社会インフラの観点からも大きな社会問題になってきています。

国土交通省は、高齢者の移動手段の確保に関する検討会を設置し、「中間とりまとめ」を発表していますが、その骨子は、①公共交通機関の活用、②貨客混載等の推進、③自家用有償運送の活用、④許可・登録を要しない輸送（互助による輸送）の明確化、⑤福祉行政との連携等を挙げています。この中では、③自家用有償運送は、市町村やＮＰＯが運営主体となって、交通空白地の住民等の輸送を行うもの、また、④許可・登録を要しない輸送とは、ボランティアや地域の助け合いといった活動で、道路運送法上の許可・登録を要しない運送で自家用車を使って高齢者等を輸送するサービスと説明されています。

これらのサービスが、交通空白地における高齢者の移動手段の確保につながるのか。市町村やＮＰＯを運営主体とする自家用有償運送が成り立つのか。筆者の住んでいる地域においても、自治体が運営するコミュニティーバスが運行していますが、殆ど、利用者（乗客）がいないという現状があります。何故、利用者がいないのか？　やはり、使い勝手が悪いのではないのか。そのような状況で国が市町村やＮＰＯに自家用有償運送事業を立ち上げるよう求めても、事業化するのはなかなか困難ではないのか。また、地域社会のマンパワーがやせ細っていくなかで、ボランティア活動として地域の高齢者等の輸送手段を担うという、リスクを伴う活動を継続して実施していけるかと考えると、とてもとても実現可能性がある計画とは言えません。

筆者は、市町村やNPOが運営主体となる自家用有償運送事業や、地域のボランティア等に依存する道路運送法上の許可・登録を要しない形での高齢者等の輸送サービスは、現実的でないと考えています。あくまで、国土交通省の高級官僚が机上で作文したプランに過ぎないと思っています。

このような形ではなく、地域の交通事業者が所有しているタクシー等を免許を返納した高齢者が気軽に利用しやすくなるシステムを作る。例えば、相乗りタクシーや欧米等ではスタンダードな移動手段であるライドシェア等の制度を日本版に切り替えて交通空白地へ導入する等の法整備やサービス面の改善を図り、利用運賃への補助制度等を整備した方がより有効ではないかと考えます。運転免許を自主返納した方、高齢者の方々にとって利用しやすい移動手段になると思われ、交通事業者にとっても収益向上につながっていくのではないでしょうか。

第４章　超高齢社会のセーフティーネットとしての成年後見制度

２０２５年に７００万人に達すると言われている認知症高齢者。判断能力に障がいのある認知症の方々の権利擁護体制も早急に整備されなければなりません。

認知症等の障がいをもった方が、生活を維持していくことには大きな困難とリスクを伴うようになります。介護福祉サービスの利用や医療機関への受診手続き、預貯金等の管理、ライフラインの契約や納税、各種利用料の支払い等の重要な法律行為もできなくなります。そのような方への支援制度として「成年後見制度」が設けられています。

成年後見制度は、認知症高齢者や精神障がい者、知的障がい者等の判断能力に支援を必要とする人、また、今は元気でも将来の生活が不安な人等が利用する制度です。

それでは、成年後見制度をおさらいしましょう。

(1) 成年後見制度の二つの柱

成年後見制度は、大きく分けると、任意後見制度と法定後見制度の二つがあります。

☑任意後見制度

任意後見制度とは、現在は判断能力等に問題はないが、将来、認知症等になった時に備えて本人が選んだ代理人（任意後見受任者）に、いざというときの財産管理や療養監護についての代理権を与える任意後見契約を公証人が作成する公正証書で結んでおくものです。

本人の判断能力が低下したときに、本人、任意後見受任者、親族等が家庭裁判所へ任意後見監督人選任の申立てを行い、選任された任意後見監督人の監督のもとで、任意後見人が本人の意向に沿いながら、任意後見契約で定められた事務を行います。

☑任意後見制度のメリットとデメリット

任意後見制度のメリットとしては、前項で説明したように、本人が信頼する人に自分の将来を託すことができることです。自分に子どもがいない、或いは頼れる親族がいない場合等に、自分が認知症になったとき、判断能力が低下したときに備えて、自分が選んだ人に任意後見人として支援を受けられるという安心があります。次に、任意後見を受任する人との間で公正証書で交わした契約内容が登記されるので、公的に証明されます。任意後見契約には、本人が、将来どのような支援を受けたいか、報酬は幾らにするか等、本人の意向が最大限反映されることもメリットとして挙げることができます。また、本人の判断能力が低下してきたときに、任意後見監督人の選任を申立て、家庭裁判所で選任された任意後見監督人が任意後見人の職務を監督して不正がチェックされる、等々がメリットとして挙げられるでしょう。

反面、デメリットもあります。デメリットとしては、本人の判断能力の低下を把握しないまま、任意後見監督人の選任を申立てない間に不正が起こりやすいこと。本人が勝手に悪徳商法等の不利益な契約をしても任意後見人には取消権がないこと、任意後見人と任意後見監督人の双方に報酬が必要になること等が挙げられます。

☑ 法定後見制度

法定後見制度とは、本人の判断能力が不十分になったときに、本人や親族等が家庭裁判所へ申立てることによって、本人に代わって財産管理や身上監護等の法律行為を行う成年後見人等が選ばれる制度です。本人の判断能力に応じて、「後見」「保佐」「補助」の三つの制度（類型）が用意されています。別表「法定後見制度の3種類」を参照してください。

本書では、主に法定後見制度について紹介していきたいと思います。

別表　法定後見制度の3種類

	後見（こうけん）	保佐（ほさ）	補助（ほじょ）
対象者	判断能力が全くない方	判断能力が著しく不十分な方	判断能力が不十分な方
申立人	本人・配偶者・四親等内の親族・市区町村長・検察官等		
後見人等に与えられる代理権の範囲	原則として全ての法律行為	申立てにより裁判所が定める行為	申立てにより裁判所が定める行為
後見人等の同意が必要な行為	原則として全ての法律行為	民法13条1項所定の行為のほか申立てにより裁判所が定める行為	申立てにより裁判所が定める行為
後見人等が取消しが可能な行為	日常生活に関する行為以外の行為	民法13条1項所定の行為のほか申立てにより裁判所が定める行為（日常生活に関する行為は除く）	申立てにより裁判所が定める行為（日常生活に関する行為は除く）
本人の同意		代理権付与の審判	補助開始の審判 代理権・同意権付与の審判

※・民法13条1項＝借金、訴訟行為、相続の承認・放棄、新築・改築等の行為

参考：最高裁判所『成年後見制度 ― 利用をお考えのあなたへ ―』

⑵ 法定後見制度のしくみ

☑ 対象者

認知症等が発症して判断能力が低下してきた方、交通事故や頭部外傷等で脳に後遺症として障がいを受けて高次脳機能障がいと診断された方、また、精神障がいや知的障がいで判断能力に支援が必要な方（以下、「本人」という）を対象としています。

認知症が進行して、金融機関で預貯金の払い戻しを受けられなかったり、入院保険金等の請求ができなかったりした場合に、成年後見制度の利用を勧められることが多いです。近年では、本人が身近な親族に経済的虐待を受けて、成年後見制度が利用されることも多くなってきました。また、近くに信頼できる親族等の支援者がいない場合、施設入所等の時に、施設側からはほとんどの場合、成年後見人等を付けることを条件に出されます。

法定後見制度は、判断能力の低下した方が、様々な不利益を被らないよう、家庭裁判所に後見等開始の審判を申立て、後見人等の支援者を選任してもらう制度です。

☑ 家庭裁判所への申立て

成年後見制度を利用するには、本人の住所地を管轄する家庭裁判所へ成年後見人等の選任を申し立てます。申立人は、本人、配偶者、４親等内の親族、市区町村長等です。

市区町村長が申立てを行う事例は、本人の４親等以内の親族に申立てを行う者がいないか、本人が経済的に困窮している場合等が考えられます。近年、市区町村長による申立てが増えてきているのは明らかですが、背景としては、４親等以内の親族に申立てを行う者がいない、親族が居ても支援を受けられずに単身で暮らしている高齢者が増えたこと、身体的・経済的虐待等で親族等による申立てができない、生活に困窮している高齢者が増えてきていること等が考えられます。もっとも、法テラスの法律扶助を利用することもできます。

次に、後見人等の候補者を誰にするか。親族か第三者の専門職にするかを話し合います。親族間で争いがある事例や処遇困難事例、財産額が高額な事例等には、第三者の専門職（弁護士・司法書士・社会福祉士等）が選任されることが多いです。地域によっては、法人後見や市民後見人が選任されることもあります。成年後見人等の候補者が見つからない場合には、家庭裁判所が第三者を選任します。

法定後見の種類（類型）は、判断能力の程度によって、「成年後見」「保佐」「補助」という三つの類型に分けられ、その支援者は、「成年後見人」、「保佐人」、「補助人」（以下、「後見人等」

という）と呼ばれています。詳しくは、別表「法定後見制度の3種類」をご参照下さい。

　申立てに必要な書類等は、かかりつけ医の診断書、財産目録、親族関係図、戸籍謄本等、預貯金通帳・保険証券等のコピーに家庭裁判所所定の申立書、本人・候補者に関する書類等を添付し、収入印紙や郵便切手を予納（類型によって異なりますが約5700～約8300円）して申し立てます。申立費用は、他に5万円程度の鑑定料が必要となる場合があります。申立書類一式は、家庭裁判所に用意されていますので、後見等開始の審判申立てを行おうとするときには、まず家庭裁判所へ相談に行くことをお勧めします。

■**後見申立てが必要になった事例**（※本書で取り扱う全ての事例は、本人を特定できないよう一部加工してあります）

◇本人の状況等
80代男性／単身世帯／市内に娘がいるが関係は疎遠

◇事例の概要
本人は認知機能の低下があり、簡易コンロで暖を取っていて衣服を焦がすことがある。このような事例で、近隣住民から火事の危険がある、本人の在宅はもう無理だとの苦情が湧き上がり、地域包括支援センターが対応することになる。

介護施設等への入所が検討されるが、市内在住の娘は一切の関わりを拒む。そのために後見開始の審判申立は市長が行い、専門職（社会福祉士）が成年後見人として選任される。その間、本人は、行政よりの措置で介護施設への入所が行われた。

選任された後見人は、早速、介護施設の入所契約、アパート（居住用不動産）の解約中立、アパートの近隣住民への挨拶等を行った。

◇考察

認知症等の進行で在宅生活が困難になっても、本人は、従来通りの生活を変えるつもりはない。そのことで地域住民や親族、関係者等とトラブルに発展することが多くみられます。後見人等には、居所指定権（本人の居所を指定する権利）は与えられておらず、本人の意思尊重義務も課せられています。親族等の支援が受けられないと、本人の所得状況から環境を変えることも困難なこともあります。悩ましい事例です。

☑後見人等の選任と活動

家庭裁判所へ後見等開始の審判を申し立てると、1カ月前後で家庭裁判所より後見人等を選任するという審判書が本人や中立人、後見人等に送付されてきますが、基本的には、家庭裁判所から東京法務局へ登記の嘱託が行われ、登記が完了するまで後見人等は対外的に活動することができません。登記が完了すると登記事項証明書が発行されますが、登記事項証明書こそが後見人等の身分を証明するものだからです。

後見人等の事務は、後見類型では本人を包括的に支援（日常生活に関する行為を除く）することになっており、保佐類型・補助類型では、付与されている代理権、同意権・取消権の範囲内での支援となります。

後見人等は、判断能力の低下している本人の権利擁護を前提として支援します。本人の自己決定、残存能力の活用を促し、身上配慮義務、本人意思の尊重義務を負います。特に、本人にとって頼りになる親族がいない場合、後見人等が最も信頼できる隣人であることでしょう。否、判断能力の低下した本人に信頼できる親族等がいないと、介護施設等の利用も医療機関等の入院もできません。介護サービス等の契約もできなければ、生活維持に係る契約もできません。悪徳業者によって財産をも狙われることでしょう。判断能力の低下した高齢者等の生活上のリスクを排除し、本人らしい生活を維持していくことを支援するのが後見人等の役割です。

毎月、本人の元を訪れ、本人の心身状況を確認し、預かっている財産を慎重に管理します。

後見人等は、定期的に家庭裁判所へ本人を支援した内容等を報告し監督を受けます。

☑ 後見の終了・管理財産の引き継ぎ

後見人等が本人を支援していて、本人の判断能力が回復したり、本人や後見人等が死亡したときに、後見が終了します。筆者の経験からは、本人の判断能力が回復して後見が終了したという事例を知りません。

本人が死亡した時点で後見人等の権限がなくなります。しかし、後見人等が管理していた財産等を相続人に引き継がねばなりません。本人が生前に親族等と疎遠であって相続人等がはっきりしない場合には、相続人の調査をします。本人の出生から死亡までの一連の戸籍を取得して本人の相続人を特定し、本人死亡に係る管理財産引き継ぎの文書を送付しますが、引き継ぎが難航することもしばしばです。本人との関係が疎遠になってきた原因が、本人死後の管理財産引き継ぎにも影響してくるのです。

相続人に本人の財産等を引き継ぎ、家庭裁判所へ引き継ぎ書を提出して後見事務が終了します。

しかし、相続人の存在が不明のときや相続人全員が相続放棄をした場合、相続財産管理人選任の申立てをします。選任された相続財産管理人に後見人等が管理していた本人の財産等を引き継ぎ後見事務が終了します。

(3) 後見人等と身上監護

後見人等の事務には、「身上監護事務」と「財産管理事務」があります。「身上監護事務」を行うには、本人の①日常生活の維持に関すること、②住居の確保に関すること、③介護・福祉サービスの利用等に関すること、④施設の入退所等に関すること、⑤医療に関すること、⑥教育・就労・リハビリ、余暇活動に関する事項等について、絶えず本人の心身状況を把握し本人の意思を尊重しながら、職務を進めていきます。

☑身上監護の具体的な職務内容

これらの職務を適切に遂行していくためには、定期的（毎月1回以上）に本人の元を訪ね、本人と面談して本人の意思を確認し、生活状況も把握しておく必要があります。毎月の本人との面談の機会は、大変重要な意味を持つと思われます。なぜなら、一カ月の間に、本人の心身状態が微妙に変化していることに気が付いたり、玄関先に見慣れない宅配便の段ボール箱が積まれていることがあるからです。認知症状の進行、消費者被害にあっている怖れが確認できるからです。具体的な職務内容は、次のような事項です。

①日常生活の維持に関する支援では、生活の維持に必要な事項（ライフライン、生活必需品、各種サービス等）の契約・変更・解除及び費用の支払い、生活費の持参、行政機関（住民登録・介護保険関係・健康保険関係・障がい者自立支援関係・重度医療等）の諸手続き、或いは、生活保護受給申請等があります。

②住居の確保に関する支援では、借家等（アパート、サービス付き高齢者住宅等を含む）の家賃の支払い、契約更新、転居先の検討、居住環境の整備（バリアフリー化へのリフォーム、居宅の衛生保持等）、費用の支払い等が挙げられます。

③介護・福祉サービスの利用等に関する支援では、各種介護福祉サービス、障がい福祉サービス利用の契約・変更・解除及び費用の支払い、本人負担額軽減申請、サービス提供状況の見守り・本人意思の確認、ケアプランの同意、サービス調整会議等への出席・意見の具申、要介護認定（更新・変更）申請、関係者との情報交換等があります。

④施設の入退所等に関する支援では、施設入所に関する契約締結・変更・解除及び費用の支払い、本人負担金軽減申請、本人意思の確認・処遇の監視、苦情申立て、ケアカンファレンス等への出席・意見の具申、ケアプランへの同意、身体拘束への対応、関係者との情報交換等があります。

⑤医療に関する支援では、医療機関等への入院契約締結・解除、受診に関する手配、担当医師からのインフォームド部分に関する対応、医療保護入院時の同意、費用の支払い、

重度医療費・高額療養費等の支給申請等があります。

⑥教育・就労・リハビリ、余暇活動に関する支援では、教育・就労・リハビリ・余暇活動等に関する情報提供、本人が希望する教育・リハビリ等に関する契約締結・解除及び費用の支払い、就労に関する雇用契約締結・解除、余暇活動参加に係る契約締結・解除及び費用の支払い、関係者との情報交換等が挙げられます。

■新聞折込チラシの景品につられて物品を購入しようとした事例

◇本人の状況等

60代男性／ケアハウスに単身で入居／若年性（アルコール性）認知症／保佐類型

◇事例の概要

保佐人が毎月、本人が入居しているケアハウスを訪問し本人と面談する。ある日のこと、本人宅を訪問すると、部屋に大きな地球儀が飾ってある。部屋を見渡すと、片隅に百科事典が20冊程、無造作に積んで置いてある。本人に、〃この大きな地球儀、どうしたんですか？〃と訊くと、本人、〃この間、ハガキを出したら送って来たんや〃と言う。どうも、ケアハウスのホールに置いてあった新聞の折り込みチラシについていた百科事典購入申込ハガキに本人が住所・名前を書いて投函したらしい。そして、その目的が、百科事典購入者への〃おまけ〃に付いている地球儀をゲットすることだったらしい。本人は、百科事典は要らない。消費者被害の手口の一つの「景品付き販売」という商法でしょうか。〃おまけ〃に気がそそられて、高額な商品を契約させるものです。

本人に、よく話を訊くと、百科事典の購入代金の請求書（約9万円）が届いていると言う。地球儀はあくまでも百科事典の〃おまけ〃で届いたものであることを確認して、本人は〃本も要らんけど、地球儀も要らん〃と言われるので、保佐人が契約を取消しして百科事典と地球儀を返送した。

◇考察

このような事例には数多く出会います。この事例は、悪徳商法の被害と言うほどではありませんが、判断能力が低下してきた本人に、後見人等が付いていなかったら、悪徳商法の餌食になる可能性が大です。

この事例は、一般的なクーリング・オフ制度での契約の解除ではなく、後見人等に付与されている取消権（同意権）での契約解除となります。

⑷ 後見人等と財産管理

２０００年4月よりスタートした成年後見制度は、民法改正前の禁治産制度からの流れを汲んでいるという経緯があるために、現在でも、〝成年後見制度は、財産管理をメインとする制度である〟と豪語する専門職後見人もいますが、確かに、判断能力に障がいのある方の財産管理を担う後見人等は、丁寧に正確に適切に事務を行います。後見人等に課せられている善管注意義務（善良なる管理者の注意義務）は、平たく言えば、後見人等自身の財産より、本人の財産管理に万全を尽くす、ということです。

その財産管理には、①不動産の管理に関すること、②預貯金・有価証券等の管理に関すること、③定期的（臨時的）な収入に関すること、④必要経費の支払い、不要な経費の削減に関すること、⑤保険等の管理に関すること、⑥遺産分割協議・相続に関すること、⑦納税に関すること等が挙げられます。

☑ 財産管理の具体的な職務内容

本人の財産を管理するにあたり、後見人等には、当然のことながらたとえ一円のお金でも大事に管理するという厳格な倫理観が求められます。いかなる場合でも善管注意義務を遂行するという自己統制が課せられています。そのことを順守して職務を行うことが、本人や関係者から信頼を得る唯一の義務であり、果たさねばならない後見人等としての責任です。財産管理の職務は、次のようなことが挙げられます。

①不動産の管理に関する支援は、本人が所有している不動産の管理、登記簿謄本・権利書等の保管、不動産の売却・賃貸借等に関する契約締結・変更・解除、賃料の回収・支払い、空家等の管理、居住用不動産処分の申立等があります。

②預貯金・有価証券等の管理に関する支援では、本人より預かった預貯金通帳・証書類の保管、株式・有価証券取引残高報告書の精査・保管、配当金・償還金等の受領、預貯金通帳入出金のチェック等があります。

③定期的（臨時的）な収入に関する支援では、各種年金の円滑な受給に関する手続き・年金受給確認、ねんきん特別便・ねんきん定期便の確認及び修正申告、障害基礎年金受給者の障がい状況確認届提出のための受診手続き、国民年金受給権者所得状況届、臨時福祉給付金（特別定額給付金）等の受給申請、賃金等の適正受給に関する支援等が挙げられます。

④必要経費の支払い、不要な経費の削減に関する支援では、本人の生活維持に係る諸経費の支払い、サービス利用料等の支払い、生活費の払い出し、自治会費の支払い、領収書

の保管、不要な費用の削減等があります。
⑤保険等の管理に関する支援では、各種保険の契約締結・変更・解除、保険証券等の保管、入院保険金・損害保険金の請求と受領等が挙げられます。
⑥遺産分割協議・相続に関する支援では、本人が相続人にあたる場合に、後見人等が遺産分割協議に加わり法定相続分の受領或いは相続放棄、利益相反する事例では特別代理人選任申立、本人が死亡して相続人が不明の時は相続財産管理人選任申立を行う等の事務があります。
⑦納税に関する支援では、相続財産を受領、不動産の売却、多額な現金の譲渡があった時等の納税、医療費等の確定申告等があります。

■ねんきん特別便を精査して修正申告し、約７００万円の年金が遡及して受給された事例

◇本人の状況等
90代男性／軽費養護老人ホーム入居／認知症／保佐類型

◇事例の概要
本人は施設入居中に保証人だった実弟から金銭をたびたび無心され、預金も殆ど目減りして

しまっていた。施設長が見るに見かねて、実弟を保証人から外し、保佐人が選任される。数カ月後、保佐人が本人の元に届いていた「ねんきん特別便」を確認すると、本人が20代から30代までに就労していた履歴がないことに気付く。本人に確認すると、就労先の具体的な名称までは記憶になかったが、都市名と大まかな業種、業務内容等を聴取できたので、「ねんきん特別便」の、返信記述欄に本人から聴取した記録を記述して返信すると、数カ月後に当時の社会保険庁年金突合センターより保佐人宛に連絡が入り、申告した修正記録が復活し、約700万円の年金を遡及して受給することができた。約30年間、受給すべき年金が消えていたことによるものです。

2007年頃、国会でも大きな社会問題となった「消えた年金記録」の当事者のひとりを保佐人が支援していました。国機関のミスによるために時効は適用されず、受給できていなかった期間の年金が遡及して受給できたのです。もし、本人に保佐人がついていなかったら、みすみす数百万円の年金を受給できなかったのです。

◇考察

保佐人がついていても、このような記録を見逃すものも居るでしょう。しかし、本人の権利擁護としての財産管理を遂行する場合、この事例のように、細心の注意を払って事務を行う、所謂、善管注意義務を果たすことが大変大事なことであることを学ぶ事例です。

■新聞を購読していないのに、本人の口座から2年数カ月、新聞代が引き落とされていた事例

◇本人の状況等
80代女性／認知症対応型グループホームへ入居／認知症／後見類型

◇事例の概要
本人は単身で在宅生活に執着していたが、認知機能の低下が進み周囲の者の説得によりグループホームへ入居する。同時期に後見人が選任される。後見人が家庭裁判所へ提出する財産目録を作成中、本人の普通預金通帳から購読していないはずの新聞代が過去２年数カ月に亘って引き落とされていることを発見する。後見人は、地域包括支援センターから本人の後見人候補者を依頼されて、本人の自宅で関係者を交えて本人と面談した際に、新聞を定期購読しているような気配を感じていなかったので不審に思い新聞販売店に通報。新聞販売店主が新聞社読者局の幹部を伴って謝罪に来室するとともに、新聞代が返金された。

◇考察
成年後見実務における財産管理は、漫然と行ってはなりません。本人から預かっている大事

な預貯金の入出金記録は、絶えず精査することが必要なことをこの事例は教えてくれています。後見制度を利用すると、後見人等に報酬が必要になるので後見制度の利用を控えているということもよく聞きますが、前の事例もこの事例も専門職後見人がついていたことで、本人の財産が正しく管理されることが分かると思います。後見人等に払う報酬よりも、後見人等がつくことで本人の受けるメリットは大きいと言えるのです。

⑸ 後見人等の権限に属さないこと

成年後見人は、本人（成年被後見人）の日常生活に関することの他の、包括的な支援を行うと説明しましたが、後見人等は〝万能選手〟ではありません。後見人等の権限に属さないことは、次のような事項です。

①本人の身元引受に関すること
②保証行為に関すること
③医療行為の同意に関すること
④居所指定に関すること
⑤婚姻・養子縁組・遺言等、一身専属事項に関すること

⑥実際の介護・看護等の事実行為

この中で、よく問題となることは、①身元引受に関すること、②保証行為に関すること、③医療行為の同意に関することがあります。特に、親族から関わりを拒否されている単身認知症高齢者の後見人等が、介護福祉施設等の入所契約を行う場合に、施設法人側が用意している契約書には本人の身元引受人や保証人を要求されることが殆どです。専門職後見人にとって、いずれも応じることができず、想定される様々な事態を協議して契約書では後見人として契約を交わします。

ただ、③医療行為の同意が後見人等の権限に入っていないことは、第三者の専門職後見人等にとっては大変悩ましいことです。親族から関わりを拒否されている認知症高齢者本人の後見人等にとって、主治医から手術や輸血、終末期医療等の同意を求められて、医療同意の権限がないばかりに躊躇を余儀なくされ、主治医との間でインフォームド・コンセントのインフォームド部分の対応のみ行い主治医の判断に任せること、或いは、主治医、看護師長等、施設の管理者等に後見人等が参加して行うケアカンファレンスでの結論をもって、本人への治療に対応することで乗り切ることが多くなっています。

⑹ 後見人等の不正

成年後見制度のスタート当時は、親族が後見人等に選任された割合は9割を超えていましたが、2019年には配偶者や親・子等の親族が後見人等に選任されたものが全体の21・8％であり、親族以外の専門職等が選任されたものが78・2％となっています。

2011年から2019年までの9年間で、後見人等による不正事例は公表されているもので、4196件、被害額275億7000万円、うち、親族後見人によるものが、4008件、被害額が259億8000万円に上っています。

親族後見人が選任される割合が、年々減少してきていることの理由は明らかにされていませんが、このように親族後見人等による本人の財産の不適切な管理が後を絶たないこと、また、経済的虐待等の事案が多くなり、本人の財産管理を安全に遂行するために専門職後見人が選任される傾向にあると考えられます。

後見人等による不正事例は、直近10年で見ると件数・被害額ともに2014年が突出して多く、件数は831件（内、専門職22件）、被害額は約56億7000万円（内、専門職約5億6000万円）となっています。以降は、件数・被害額ともに年々減少してきており、2019年は件数201件（内、専門職32件）、被害額約11億2000万円（内、専門職約2億円）ですが、専門職後見人による不正事例が32件も挙げられていることに愕然とさせられます。断じて許容すべきことではありません。

２０１４年に件数、被害額等が突出している背景はわかりませんが、専門職の不正事例では、Ｏ県元司法書士会会長を務めた後見人が、高齢者や知的障がい者等４人の口座から１億２３５万円を横領した事件の他、専門職による多額の現金の横領事件が相次ぎました。横領した専門職後見人は、当然、懲役刑等の実刑判決を受け、資格も剥奪されています。親族後見人の横領事例でも悪質な場合、家庭裁判所は後見人等に横領した金銭の返還を求めたり、利害関係人から訴訟が提起されることもあります。

このような後見人等による不正事件は、成年後見制度の信頼性の根幹を揺るがすものであり、徹底的に弾劾されなければなりません。

福井家庭裁判所管内においても、２００８年10月に司法書士による後見不正事例が公表されました。その際に、筆者が新聞社よりインタビューを受けて「『権利を擁護する立場の人間が権利を侵害するとは……』と憤慨。さらに、『家裁で適正な監督をしてくれないと、制度への信頼は揺らぐ。失った信頼は大きい』と肩を落とす。」とのコメント記事が新聞に掲載されました。

本人がこつこつと蓄えてきた貴重な財産を、本人に代わって後見人等が管理することの重さを骨身にしっかりと感じながら、１円の金銭も疎かにしないという高い倫理性が後見人等に求められているのです。

☑後見制度支援信託・後見制度支援預金

しかし、親族後見人は、自分の親などの財産であることから自分の財産と同じように費消してしまうということが目立ってきたことから、後見制度を利用しようとする本人に高額な預貯金（およそ1千万円以上）がある場合に、本人が日常生活で使用する金額を除いた金銭を信託銀行等に信託（預金）することで、親族後見人による本人の財産の横領を防ぐ制度、つまり後見制度支援信託が２０１２年2月より、また、２０１８年6月より後見制度支援預金が始まっています。

これにより、銀行等に信託（預金）した財産を払戻したり解約するには家庭裁判所の許可が必要になり、親族後見人が本人の財産に勝手に手を着けることができないことで、本人の財産も保護されるようになりました。

この制度導入によって、親族後見人による不正事例も減少してきていますが、２０１９年の親族後見人等による不正件数は１６９件、被害額にして約9億２０００万円と報告されています。

親族後見にしろ専門職後見にしろ、成年後見制度が関係者から安心して利用されるには、制度そのものの信頼性と後見実務を担う後見人等の信頼性が担保されていることが前提です。不正事例による被害額が減少してきたとは言え、まだまだ高額な金銭が被害に遭っています。

家庭裁判所の後見監督が、一層、重要になってきます。

(7) 家庭裁判所による後見監督

前項でも考察したように、家庭裁判所による後見監督は、成年後見制度の信頼性を担保する最も重要な機能です。

後見監督は、定期的に行われます。後見人等に付与されている代理権や財産管理権等が適正に行使されているかどうかを監視・監督するものです。

基本的に、毎年１回は後見監督を受けることが原則です。１年間の後見実務について、事務報告書、財産目録、預かっている全ての預貯金通帳・証書類のコピー、領収書のコピー、重要な法律行為の関係書類等を家庭裁判所へ提出して監督を受けます。適正に事務が執行されているかを点検し、問題となる取り扱いがあると認識されたときには、家庭裁判所調査官による調査等が行われて、財産管理や後見事務について、後見人等に対して必要な処分が命じられます。

悪質な場合には後見人の解任、不正事案については、後見人等を横領、背任等で刑事告発することがあります。

このように、家庭裁判所の後見監督によって不正は絶対に見逃されることはありません。だからこそ、成年後見制度は、判断能力の低下した方の財産を護り、権利を擁護する安心で安全な制度であると説明することができるのです。

⑻ 後見類型が多いのは何故？

２０１９年末における成年後見制度の利用者数は22万４０００人超です。うち、成年後見類型の利用者数が17万１０００人超、保佐類型の利用者数が約３万９０００人、補助類型の利用者数が約1万１０００人、任意後見の利用者数が２６００人超となっています。後見類型の利用者が全体の76・６％を占めており、保佐類型が17・３％、補助類型が４・９％、任意後見が１・２％という割合となっています。

後見類型は、本人の日常生活に関する行為を除く、殆どの権限が成年後見人に与えられているために、本人を保護する機能は強い反面、本人の意思を尊重するというよりも後見人の判断で事務が進められてしまう、という問題点が指摘されています。

従来の禁治産制度は、本人の保護一辺倒の制度であったと言っても過言ではありませんが、２０００年４月にスタートした成年後見制度は、基本理念に「自己決定権の尊重」、「残存能力の活用」、「本人意思の尊重」というノーマライゼーションの理念を置き、従来の「本人保護」との調和を制度の運用に求められていました。しかし、新制度発足から20年を経過しても、本人保護中心の後見類型が制度利用者の８割近くを占め続けているという現状の中に、成年後見制度がメリットを実感できる制度として普及しきれていない原因の一つがある、とも指摘されています。

後見類型の対象者は、「判断能力が全くない方」と区分されています。対象者の判断能力を判定する成年後見用診断書の課題については本書では言及しませんが、これを改善するために２０１９年より後見等開始審判申立に必要な後見用診断書の様式を改訂し、本人の状況等を医師に的確に伝えることができるように、福祉関係者等によって作成される「本人情報シート」が診断書作成の重要な判断ツールとして医師に活用されるようになりました。筆者は、これによって、後見類型偏重の制度利用者の割合に大きく影響すると期待しています。

なぜなら、「保佐」や「補助」類型で診断された利用者が増えることで、成年後見制度がノーマライゼーションの理念に則り、より利用者本人の意思が反映され、利用者からメリットを実感できる制度として支持されるようになってくると思われるからです。

⑼ 成年後見制度の利用は進んでいません

２０００年４月に介護保険制度と同時にスタートした成年後見制度の利用者数を見ると、２０１５年12月末時点で19万１０００余人、２０１９年12月末時点での利用者数は、22万４０００余人となっています。成年後見制度利用者は、年々増加してはいますが、認知症者約６００万人、知的障がい者（18歳以上）84万人、精神障がい者（20歳以上）３９１万人とも言われる制度対象者に比べてみると2％にとどまっており、制度利用が進んでいないことは一目瞭然です。

認知症者７００万人時代のセーフティーネットの一つとしての成年後見制度の利用が進まない課題や背景にはどのようなことがあるのか、を考えてみようと思います。

鈴木雅人氏は、成年後見制度の利用が進まない大きな原因の一つとして、「本人の手続きを家族が代わりにやることで何とかなってしまっている」と、捉えています。

確かに、本人の認知症の症状が進行して介護福祉施設等への入所や介護福祉サービス利用等が必要になった際に、本来は本人に求められる契約行為を家族等が代行しても支障なく契約が成立しています。また、認知症の方の預貯金等の払い出し等の対応にも、金融機関は「苦慮している」のが現実のようです。

全国銀行協会が会員１１３行を対象に行った「認知症対応に関するアンケート結果」について、『朝日新聞』がまとめた報告では、「認知症の人の親族らが本人の生活費や医療費をおろすなどの取引を求めた際、約6割の銀行が、必要な範囲内で本人以外の取引にも応じていることがわかった。（略）取引は本人が原則だが、判断能力が落ちた人の対応に銀行は苦慮している。対応にばらつきがあり、協会は基本指針をまとめる考えだ。」としています。この「アンケート」で、銀行からの対応に困った声として、「本人の意思確認ができず、家族からの払い出しに応じなかったら、トラブルになった」「親族の払い戻しに応じた後に、別の親族とトラブルになった」との生々しい回答があり、銀行側としては、認知症の人やその家族からの預金払い出しに応じても応じなくてもトラブルになっている現実がわかります。

２０１９年の成年後見制度申立件数は３万５９５９件ですが、主な申立ての動機としては、「預貯金等の管理・解約」が40・６％を占め、「身上保護」が21・８％、「介護保険契約」が10・５％となっており、認知症の人の預貯金等の管理について、成年後見制度を利用する必要性に迫られていることがよく表れてきていると思われます。

☑成年後見制度利用促進法の施行

判断能力に障がいのある認知症高齢者の方にとって、特に単身世帯の認知症高齢者の方の権利を擁護し、安全な生活を支援する成年後見制度の利用件数の伸びが鈍い現状から、２０１６年５月に、「成年後見制度の利用の促進に関する法律」（以下、「成年後見制度利用促進法」という）が施行されました。同法第十二条では、「成年後見制度の利用の促進に関する施策の総合的かつ計画的な推進を図るため、成年後見制度利用促進基本計画を定めなければならない。」と規定しています。これに基づき策定された「成年後見制度利用促進基本計画」（以下、「基本計画」という）は、２０１７年度から２０２１年度までの５年間を対象期間としており、迫りくる「認知症者700万人時代」を意識した計画となっています。

基本計画のポイントとして、①利用者がメリットを実感できる制度・運用の改善、②権利擁護支援の地域連携ネットワークづくり等が、挙げられています。①については、利用が進んでいない現状から、成年後見制度を利用するメリットが実感できるように運用を改善するというもの。なぜ、成年後見制度の利用が進まないのか。①利用者がメリットを実感できる制度・運用の改善について、利用促進委員会からは、(ア)・医師や家庭裁判所には、本人の生活状況をきちんと理解した上で本人の能力について判断してほしい。(イ)・認知症や知的障がいの特性を理解し、本人の意思を十分に汲み取ることのできる支援者が必要である。との指摘が出されています。

(ア)については、前項で触れていますが、後見等審判開始の申立書類に添付する医師の診断書を、本人の実情に合った診断書にするために、福祉関係者等による「本人情報シート」を医師が参考にすることで、本人の判断能力をより正しく反映した診断書が作成されることになるはずです。

(イ)については、筆者も職務上、多くの弁護士等と交流がありますが、後見人等を受任しているある弁護士から、〝自分は、本人が入所している施設へ面会に行くのは1年に1回か2回くらいです〟と聞いたことがあります。成年後見制度が財産管理偏重の制度から抜け切れていないという実例です。

民法改正により、心神耗弱者や浪費者を保護する禁治産制度から２０００年４月にスタートした成年後見制度は、「財産管理と身上監護」の２本の事務を挙げ、判断能力の低下した本人のノーマライゼーションを支援する制度です。禁治産制度の財産管理一辺倒の制度ではありません。しかし、一部の専門職後見人は、本人の財産管理一辺倒の事務しかできていないことが、本人を取り巻く関係者等からも不満の声として上がっているのだと思われます。

☑なぜ、成年後見制度の利用が進まないのか？

また、成年後見制度利用促進法の施行が、認知症者７００万人時代に向けて成年後見制度普及の引き金となるのか、そもそも何故、成年後見制度の利用が進まないのか、を点検する必要があります。

その理由を点検したいと思います。

まず第１に、親族に認知症の方がいても、この制度を利用しなくても不便と感じない、ということがあると思います。実際、明らかに判断能力が低下している本人を家族等が金融機関へ連れて行って、窓口で無理やり預金等を払い出している場面に出くわすことも多くあります。或いは、判断能力の低下した本人の預貯金通帳のキャッシュカードを家族等が管理して、勝手に金銭を払い出すことが横行しています。勿論、このような事例は黙認すべきではありません。

親族間で紛争になる可能性が大です。判断能力の低下した本人に関係する親族等が、成年後見制度の利用を敬遠しているのです。

第2に、裁判所への申立ての手続きが面倒で煩雑である、ということで申立てを断念することが多いとも聞きます。もっとも、判断能力の低下した対象者の権利を擁護するために後見人等が選任され、家庭裁判所の監督により後見人等の事務が遂行される成年後見制度を利用するということですから、当然のこととして申立書類には大事な個人情報等を添付する必要があり、申立書・申立関係書類もすぐに作成できる簡易な様式ではありません。家事審判手続きに使用されている独特の用語にも面食らうでしょう。しかし、このようなことで、申立てを諦めてしまうのは本末転倒です。手続きで理解できないことは家庭裁判所の窓口で尋ねれば担当官が丁寧に説明してくれますし、近くの地域包括支援センターや行政の高齢者福祉所管課等でも相談にのってくれるはずです。

第3に、第三者に財産を委ねるのに不安がある、親族でなく第三者の専門職等の後見人に本人の財産を管理して欲しくない、ということを聞いたことがあります。しかし、これは明らかに間違いです。判断能力の低下した人の財産管理、身上監護を、親族以外の第三者（専門職）が後見人等を受任することで、財産等の情報が漏洩するとでも勘違いしているのではないか。後見人等は、善管注意義務（善良なる管理者の注意義務）が課せられており、裁判所の後見監督で後見事務が厳しく監督されているので、対象者本人の財産等の個人情報が漏洩することはあり得ません。むしろ、親族後見人等のほうが対象者本人の財産を横領して後見人等を解任されたという不正事案があとを絶たないというのが現実ではないでしょうか。親族後見人よりも第三者の専門職等の後見人を選任する割合が圧倒的に多くなっているのは、その表れと言わねばなりません。

第４に、申立や後見人にお金がかかり過ぎる、という声があることは事実です。後見等審判開始の申立経費や後見人等の報酬がかかるという指摘でしょう。ただ、後見等申立経費は、既に説明した通り後見・保佐・補助の類型によって申立費用は異なりますが、いずれも1万円以内。鑑定が必要な時には、５万円前後の鑑定料が必要。これに、後見人等の報酬が毎年、必要になりますが、後見人等の報酬は、報酬付与の申立によって裁判官が本人の財産額や後見人等の事務内容等によって合理的に報酬額を決めており、これには、本人も後見人等も異議を申し立てることはできません。

本人にとって、決して不利益な審判が出るはずがなく、〝後見人に高い報酬を取られる〟と揶揄する表現は適当でありません。後見人等の職務内容が適正に評価されるよう、更なる啓発が必要になってきます。

利用者がメリットを実感できる制度にするためには、これらの利用が進まない背景を点検し、改善していくことが求められているのではないでしょうか。

☑ 成年後見制度利用促進計画

成年後見制度利用促進法が施行され、「成年後見制度利用促進基本計画」が２０１７年３月に閣議決定されました。

基本計画についてはは前項でも触れていますが、基本計画の主なポイントとして挙げられている②権利擁護支援の地域連携ネットワークづくりに計画されている中核機関の設置のあり方で、成年後見制度利用促進の目的達成が左右されると言っても過言ではないと思っています。各自治体がどのようなスタンスで中核機関を設置するか、基本計画に盛り込まれている成年後見制度利用促進のための諸施策を展開していく中核機関が円滑に機能するか、注視していきたいと思っています。

基本計画は、２０１７年から２０２１年の5年間の工程表を作成して整備を進めていますが、3年度目にあたる２０１９年7月1日現在の中核機関・権利擁護センターの設置状況を確認すると、筆者の不安が的中しました。計画3年目の中核機関の設置状況が僅か８％にとどまり、権利擁護センターの設置も24・９％という状況です。

基本計画には、総花的にもっともな施策が列挙されていますが、それを受ける各自治体側はなかなか対応できていない現実があらわとなっているのです。

多くの問題を抱える「認知症者７００万人時代」を目前にして、利用の進まない成年後見制度の利用を促進するために法律を整備しても、その実行部隊に位置付けしている中核機関の整備が遅々として進まない状況に、基本計画が絵に描いた餅に終わらないことを願うばかりです。文字通り、「権利擁護支援の地域連携ネットワークづくり」を担う中核機関が、無縁社会とも言われる超高齢社会に、認知症者７００万人時代に、本当に実効性のある見守り体制を構築し、ひきこもりがちな権利擁護支援を必要とする対象者を早期に発見し、チームでアプローチしていく仕組みを一刻も早く整えるべきです。

☑社会福祉協議会等による法人後見

全国的に、成年後見制度普及啓発に熱心な市区町村や社会福祉協議会、ＮＰＯ法人等による法人後見事業が既に先駆的に立ち上げられています。

これらの機関に設置されている法人後見センターでは、住民ニーズに沿った成年後見支援が既に実施されており、実績も上がってきています。

福井県には、市町社会福祉協議会に法人後見センターが3カ所設置されています。筆者は、あわら市と勝山市の社会福祉協議会が設置している法人後見センターの立ち上げ準備段階から関わり、２０１３年4月の立ち上げ後は運営委員を務めています。

準備段階での市民後見人養成講座には、熱心な市民が集い、学び、多くの市民後見人候補者が誕生しました。筆者も両市の講座の講師として、幾つかの科目を担当しましたが、大変、意欲的に学ばれている姿に圧倒されたものです。

あわら市、勝山市ともに、現在は順調な運営が行われており、住民にとって身近な社会福祉協議会が運営する法人後見センターの設置は、成年後見制度利用促進に大きな役割を果たしている、と筆者は考えています。

国が提唱する成年後見制度利用促進基本計画は、利用の進まない成年後見制度をテコ入れすることを目的としていますが、理想的には、全国の市区町村単位に法人後見センターが設置されることこそ、基本計画の「権利擁護支援の地域連携ネットワークづくり」を実効性のあるものとすると考えます。

なぜなら、中核機関の旗の元に幾つもの市町村が肩を寄せ合い、成年後見制度利用促進と名乗っても、本来の意味での権利擁護支援の地域連携ネットワークが機能するようにはとても思われないからです。成年後見制度利用促進計画で旗印が掲げられ、否応なしに設置される中核機関が、形ばかりの機能しか果たすことができないようなことにならないよう、幾重にもお願いしたいものです。

そのような観点からも、先に紹介したあわら市社会福祉協議会や勝山市社会福祉協議会をはじめ、先駆的に実施している全国の法人後見センターが、今、ようやく設置しようとされている（或いは、設置された）中核機関のモデルとなるよう期待を寄せているのです。

第5章　無縁社会≒超高齢社会の闇と成年後見

核家族制にみられる家族関係の希薄化、単身高齢者世帯の急激な増加、認知症者７００万人時代にあって、本書で取り上げてきたように、社会に立ちこめる闇はますます深くなってきています。そして、それは、何度も指摘するように決して他人事ではありません。〝明日は我が身〟と捉えて真剣に考えていかねばならないことばかりです。

超高齢社会は無縁社会へのリスクをはらんでいます。頼るべき親族もなく、親しく相談できる隣人も持たない人たちにとっての一つのセーフティネットとして成年後見制度があります。

筆者が十数年の成年後見活動で遭遇した様々な現実は、少しボタンの掛け違いが起これば、どこにでも、誰のところにでも起こりうる可能性があることを教えてくれました。

事例を紹介して、闇の現実に迫りたいと思います。なお、本書で取り上げている全ての事例は、本人を特定されないように、一部加工してあります。

(1) 経済的虐待と成年後見

親族による本人への経済的虐待が露呈し、成年後見制度利用に至る事例が増えています。

■本人の預金をきょうだいに費消されて保佐開始の審判申立てに至った事例

◇本人の状況等

男性（80代後半）／離婚歴あり（子はなし）／認知症（中程度）／ケアハウス入居中／保佐類型

◇事例の概要

本人は認知機能が低下しだしたころからケアハウスへ入居。施設の保証人には実弟がなり、本人の印鑑、預金通帳等を本人納得の上、実弟が預かる。実弟が施設を訪問して本人への面会は、数カ月に1回程度だった様子。本人の施設利用料は本人の預金口座から自動引き落としに手続きがされていたが、本人入居後、1年数カ月で施設利用料が本人預金口座から引き落としができなくなる。入居時には、預金口座に数百万円の残高があったという。施設から保証人である実弟へ数度に亘って連絡をとるも、音信不通になる。

施設の管理者からの依頼で、筆者に相談が持ち掛けられ、本人申立てで筆者が保佐人候補者となり、家庭裁判所から保佐人に選任される。

保佐人選任後は、早速、新規預金口座を開設し、年金事務所へ年金振込口座の変更を届け出て、収支計画を立案して貯蓄も増えて行った。

◇考察
このような事例を持ち出すまでもなく、親族等に認知症等で判断能力が低下してきた人が出てきたときには、本人、もしくは親族等の申立てによって成年後見制度を利用すべきです。この事例において、保佐人が選任されなかったら本人の生活はどうなっていたでしょうか。

■無職の息子が母の預金を勝手に引き出して、親族からのクレームで後見申立てに至った事例

◇本人の状況等
女性（80代）／夫とは死別／認知症（重度）／子は同居する息子（50代）と嫁いでいる娘（50代）／後見類型

◇事例の概要

本人は、認知機能、ＡＤＬの機能も低下しているが何とか自宅で生活ができている。息子は数年前に失業してから実家の本人（母）の元へ移り住んでいる。本人の預金通帳は息子が管理するようになる。当初（息子が同居する前）、本人は週3回のデイサービスと週4回のヘルパーを利用していたが、息子が同居後、数カ月経ってケアマネージャーが訪問時に、息子から〝ヘルパーは自分が居るから要らない、デイサービスも週1回で良い〟との申し出があり、サービスを減らすことになる。

ある日、嫁いでいる娘が本人の元を訪問した時、息子も居らず、本人がベッドと床のあいだに倒れており、栄養状態もすごく悪そうに見えたので救急車を呼び病院で受診し、そのまま入院となる。

息子は、本人の預金通帳からキャッシュカードで勝手に現金を払い出して遊興費や外食費に使い、本人へは一日に菓子パン1個を渡していただけで排泄の始末もできておらず、介護放棄、低栄養で不衛生な生活を強要していた様子がわかり、娘が地域包括支援センターへ相談に行って後見申立てに至る。

後見人には筆者が選任される。後見人は、息子が管理している預金通帳等を解約し、新たに預金口座を開設して年金等の振込口座の変更も行う。息子には、低額の生活費を渡すことで納得させる。

◇考察

このような事例は、本当に増えてきています。所謂、８０５０問題の典型でしょう。同居する息子は、他人を寄せ付けず、老親の預貯金に頼った生活を行おうとするために、本人が受けるべき介護サービス等の利用も制限して本人のためにお金を使わせない。まともな食事も提供せずに、本人の状態が、みるみる衰弱していっても放置するという大変深刻な事例が増えてきているのです。自分を育んでくれた母が年老いて要介護状態になっても、受けるべき介護サービスを受けさせず、十分に食事も与えず、自分は母のお金を使って外で遊び歩いている情況は、まさに「闇」としか言いようがありません。成年後見制度は、このような事例を支援するのです。

⑵ 単身高齢者が狙われる

第2章でも考察したように、単身高齢者世帯が急激に増えてきています。高齢者夫婦のみの世帯も配偶者が亡くなれば、たちまちに単身高齢者世帯になってしまいます。また、２０２５年に、団塊世代が全て後期高齢者になります。「そもそも団塊世代は隣近所のつきあいを嫌い、地域になど何の関心も持たなかった世代である。年をとっても、近所の人たちに面倒をみられたいとは思っていない」世代であると言われています。孤独死予備軍であり、悪徳商法被害者予備軍と言っても良いのかも知れません。他人事ではありません。

単身で寂しさを感じながら生活していて、認知機能が少しずつ低下していくと悪徳業者の餌食になります。

■保佐人が訪問時、預金額を超える高額な仏像が本人宅にあり、保佐人が契約を取消し返品した事例

◇本人の状況等
女性（80代）／結婚歴なし／認知症（中度）／在宅で単身生活／保佐類型

◇事例の概要
本人は独り暮らしで寂しいこともあるからか、どんな人が訪問してきても〝来る人拒まず〟で、丁寧に話を聞いている人。或る時には、異なった宗教関係の勧誘員が代わる代わる訪問しても、追い返さずに、皆、話を聞いているのを近所の人が心配していた。

在宅介護支援センターの相談員から、単身高齢者で認知機能が低下してきている本人の後見制度利用の相談を受け、本人も同意して保佐人が選任される。保佐人は毎月本人の自宅を訪れ、本人からの相談を受けたり心身状況の確認等を行ってきた。ところが、ある日、自宅の床の間

に、高額そうな金ぴかの仏像が置いてあるのを保佐人が発見。本人に、この仏像はどうしたのかと訊くと、本人は〝前に仏像を売りに来た人から買うたんや！〟と言う。ちなみに、本人の自宅の仏壇が収まっている仏間は、カーテンが閉まったままで、おまけに、そのカーテンにはホコリがかかっている状態。恐らくここ数年は仏壇にはお参りしていないと思われる。決して、本人は信仰心が篤いとは言えない。また、本人の預金額は総額で数十万円のみ。仏像は預金総額よりも二十数万円も高い高価なもの。

保佐人は、本人と話をして、本人の預金総額が幾らなのか？　最近、自宅の仏壇にお参りしているのか？　どういういきさつで、この仏像を買うようになったのか？　等々を訊ねたところ、届けられた仏像を解約することになり、保佐人が契約破棄の手続きを行った。

◇考察

この事例は十年程前の事例ですが、最近の消費者被害の事例は、複雑かつ巧妙になってきています。この事例の本人のように、〝人は皆、善人〟と信じて誰でも自宅に招き入れる人は少なくなってきましたが、一人暮らしの寂しさからか、悪徳業者の甘い言葉や丁寧な話し方に乗せられて、ワナに引っかかっていく事例が多くみられます。

後見人等が毎月、本人の元を訪問することで、本人の心身状況の変化をチェックし、悪徳業者による被害にも気付くことができるのです。後見人等は、悪徳業者からの被害をブロックする防波堤の役割もあります。

(3) 認知症単身高齢者の生活上のリスクを防御

認知症と診断されて生活に支障が出てきてもなお、介護福祉施設等の利用を拒み、地域住民の不安をよそに、様々なトラブルを引き起こすことも多くみられています。次の事例は、大きなリスクを抱えながらも、関係者の協力で幸いにも大事に至らなかった事例です。

■介護施設等への入所を拒み、在宅生活中にボヤ騒ぎを起こした事例

◇本人の状況等

女性（80代後半）／夫も一人息子も既に死亡／認知症（重度）／在宅で単身生活／後見類型

◇事例の概要

本人は認知症重度だが、施設等の利用は嫌ってきた。日常の買い物も近所の食品店を利用。食事は、一日2回の宅配弁当で済ませている。近所の住民からは、最近、いろいろな人が出入りしているとの情報がある。後見人が訪問時には、確かに住宅修繕関係のパンフレットが置か

れていることが多い。

ある日、いつもの弁当屋が弁当を宅配時、奥の部屋のほうから煙が漂ってきているのに気づいた。本人を呼んでも応答がないので弁当屋が中に入ると、石油ストーブにかけてあったタオルが燃えているところ。焦げた一部がカーペットに落ちて燃えており、弁当屋はバケツで大量に水をかけ消火したと言う。本人は、ストーブも点けたまま、玄関の施錠もしないまま、近くの食品店に牛乳を買いに行っていたのだと言う。

本人は、その後、地区担当の民生委員の説得で介護福祉施設へ入所となった。

◇考察
本人の住宅は古い住宅が立ち並ぶ住宅密集地にあり、もし、弁当屋の弁当宅配の時間がずれていたら、大変な惨事になっていたところでした。想像するだけでも、背筋が寒くなります。後見人等には居所指定権がないために、後見人等の判断で施設等への入所を強要することはできません。ましてや本人のように、相談できる親族もいない場合に、本人の生活能力等と本人の自己決定権とを、どこで調和させたら良いか、悩ましいところです。

この事例の石油ストーブは、近年、姿を消してきましたが、現在、自宅で生活をしている認知症高齢者等には、ストーブやガス調理器具等の使用をやめて、エアコン設置、ＩＨ電磁調理器具等の使用に切り替えており、少しでもリスクを軽減する対策が講じられています。

親族等から関わりを拒否されている認知症単身高齢者の生活上のリスクは深刻であり、第三者（専門職等）による成年後見制度利用のニーズが高まっています。

■物盗られ妄想で深夜にも近所じゅうに、泥棒がいる！　と叫び、後見申立てに至った事例

◇本人の状況等

女性（70代後半）／数年前に夫死亡（子はいない）／認知症（重度）／在宅で単身生活／後見類型

◇事例の概要

本人は、夫が死亡後、精神的に不安定になり、そのうちに認知症も重度になる。周辺症状（特に、物盗られ妄想）が激しく、夜間も泥棒が家に入って来る、と言って眠らない。また、しばしば外へ向かって、〝泥棒が来る！〟と叫んでいる。このことで、警察沙汰になることもしばしば。地域包括支援センターにも、警察や自治会より相談が持ちかけられ、地域包括支援センターが対応することになる。

本人は他人を寄せ付けなかったが、何度かの挑戦で地域包括支援センターのスタッフと本人との面談が実現。本人より、親族（実弟）の連絡先を聞き取り、地域包括支援センターより県

外在住の実弟に本人の状況等を伝達。その後、実弟が来県して本人と面談。誰か本人を支援する人を付けたいので、後見人を選任する申立てを行うことを本人に伝えるも、本人は断固拒否。その後、実弟は福井を離れ自宅に戻るが、本人の深夜の〝泥棒騒ぎ〟は収まらないまま。数カ月経って実弟が再度本人の元を訪れ、病院受診を促す。さらに、後見制度利用の診断書の作成を依頼して、本人は精神科に暫く入院となる。

精神科を退院して実弟が申立人となり、専門職の後見人が選任される。

後見人は、本人が面談を拒否することに諦めず粘り強く面談を試みて、そのうちに本人は、後見人を受け入れるようになる。実弟が、本人の施設入所を説得して、施設への入所となる。本人は、時折、興奮して施設スタッフを困らせるが、大体、落ち着いて生活できている。

◇考察

認知症の周辺症状（ＢＰＳＤ／行動・心理症状）が重度になると、介護者の心的疲労や身体的疲労も著しく増大します。他方、この事例のように単身で暮らしている場合、物盗られ妄想や徘徊、暴言暴力等の症状が地域住民等に向けられることも多く、トラブルが発生し、成年後見制度の利用につながります。この場合、後見制度申立ての動機としては、介護施設利用の手続き等が主目的になります。それは、親族や地域住民等からの要請に基づくものです。この事例のように認知症周辺症状が重度の人は、地域住民の平穏な生活を脅かす存在になってしまうことが多くみられます。

認知症施策推進総合戦略（新オレンジプラン）は、「認知症の人の意思が尊重され、出来る限り住み慣れた地域の良い環境で、その人らしく暮らし続けることができる社会の実現を目指す」と謳っていますが、このような認知症の障がいが重度の方の事例を持ち出すと、この「新オレンジプラン」の文言（理念）が、空しく聞こえてきます。

実際に、この事例の本人も、認知症周辺症状が重度ながら、自宅に住み続けたいとの強い意思がありました。しかし、地域住民等の苦情等で「住み慣れた地域」で「その人らしく暮らし続けること」ができなかった。

新オレンジプランの理念は、認知症中軽度の方を対象にして発信しているのでしょうか。「認知症者700万人時代」の認知症施策は、もっと、泥々とした「闇」の中からこそ立案されなくてはならないと強く思います。

⑷ 親族の誰にも看取られない最期

家族制度が旧来の大家族制から核家族制になり、その途上で、何らかのトラブルによって家族関係が崩壊し、そのまま行き来がなくなり、病気やリストラ等で失業した途端に社会ともつながりが消え生活も乱れる。その先にあるのは、第1章で取り上げた『無縁社会 ～〝無縁死〟

３万２千人の衝撃～』の現実。

筆者は、この現実が、無縁社会≒超高齢社会の闇の典型だと思っています。孤独死。孤立死。無縁死。筆者は、これらの死に、それぞれ別の意味をつけることは愚かなことだと思っています。全て同じ事象だ。人は皆、かけがえのない人生を歩んできたはずです。それなのに、何故、孤独死、孤立死、無縁死という形で人生の最期を終えなければならないのでしょうか。

筆者の十数年の成年後見活動は、気がついてみれば、その、孤独死、孤立死、無縁死等のリスクを抱えた方との二人三脚の人生行路でもあったのかも知れません。

■夫と死別後、子らからも関わりを拒否され介護施設で最期を迎えた事例

◇本人の状況等（死亡当時）

女性（80代）／子は共に50代の息子と娘の二人／介護施設を利用／認知症（重度）／後見類型

◇事例の概要

本人は40代後半に夫と死別。当時、二人の子は独立していた。本人は飲食業に従事していたが、50代に、なじみの客と同棲するようになり、その後、二人の子とは連絡も取れなくなる。

同棲していた相手とも数年で別れ市営住宅に居住していたが、認知機能が低下してきたことで、行政の高齢福祉主管課より後見制度利用の相談がある。本人も同意して後見開始の審判が申し立てられて後見人が選任される。

後見人就任後、行政より引き継いだ息子と娘の連絡先（電話番号）へ何度も連絡を入れるも、ことごとく応答なし。本人は、施設で元気に暮らしていたが、そのうちに認知機能も身体機能も衰え、老衰で亡くなった。

◇考察
後見人は、医師からの情報も踏まえ、本人の状態が終末期を迎えたと判断して、生前に本人に一度でも会って欲しいと願って息子や娘に連絡を入れるが、何の応答もなかった。本人と二人の子との間に、どんなトラブルがあったのか。

本人死亡後、後見事務終了のためには相続人に管理財産を引き継ぐ必要があり、役所で戸籍附票を請求して相続人の住所を特定し、内容証明郵便で管理財産引継ぎの用件を伝えるもなかなか連絡がなく、数度の連絡で相続人（息子）より連絡が入り、管理財産を引き継ぎます。

その際に、後見人より何度も連絡を入れたが応答がなかったことを訊ねると、息子は、本人（母親）の〝男癖が悪かったことが許せなかった〟と述懐し、後見人に詫びた。

■妻と離婚し単身生活が長く続いたが、認知症重度で施設暮らしになり死亡した事例

◇本人の状況等（死亡当時）

男性（80代）／三度の離婚歴有り／子は娘一人／介護施設を利用／認知症（重度）／後見類型

◇事例の概要

本人は、運送業の運転業務に従事していたことからか、それぞれの地方で結婚と離婚を繰り返し、60代で実家のある福井に戻ってきた。アパートで独り暮らしをしていたが、70代後半で認知症を発症。アルコール依存で冬の深夜に雪の中を裸足で徘徊していたところを警察に保護される。本人に関係する親族には実兄がいるが、高齢のために本人との関わりを拒否している。二番目の妻との間にできた娘は所在すら不明。

地域包括支援センターの関わりで、市長申立てによって後見人が選任された。後見人就任後は、本人の債務整理に追われる。放置されていた債務もいくつかあり、時効援用での債務整理も行う。本人は老衰で死亡。通夜、葬儀にも誰も参列が無い。

◇考察

本人は妻と離婚してからも、長い間、寂しさをアルコールで紛らわしていたようです。実家

のある福井でも、親族の誰も本人と関わろうとしなかった。年金もそれなりに受給していたが、アルコールに消え、まだ足りなかった。債務は十数年前から続いていたようです。後見人がつき、本人死亡までに債務も完済し、貯金できるまでになっていました。

本人死亡後、戸籍附票から娘の所在を探し、内容証明郵便で本人死亡と管理財産の引継ぎを伝えるが、何度送っても連絡がなかった。数カ月後、ようやく娘から連絡が入り、管理財産引継ぎの打ち合わせを行おうとするも、娘は、本人（父親）は〝借金がたくさんあるから、少しくらいお金が残っていても、あとで借金返済に追われるから、お金は要らない〟との返事を繰り返す。何度かのやりとりの末、後見人より、〝債務は後見人が整理をしたから借金返済に追われるということはない〟の念を押して、ようやく関東地方より来県して管理財産の引継ぎを行った、という事例です。

本人の三度の離婚は、本人の浪費癖、アルコール癖が災いしていたことが、娘からの話で理解できました。本人が亡くなっても、娘は本人を許すことができなかったのです。

■小学生の女児を置いて離婚し、最期は病院で死亡した事例

◇本人の状況等（死亡当時）

男性（70代）／離婚歴あり／子は娘一人／施設から病院入院／認知症（中度）／後見類型

◇事例の概要

本人は、娘がまだ小学生の頃、ギャンブル通いが原因で離婚する。離婚後、職業を転々としたが、脳梗塞を発症して入院となる。入院中に後見制度利用の相談があり、親族の中立てができないために市長申立てとなり後見人が選任された。

後見人選任後、介護施設に入所となる。後見人が施設に本人を訪ねると、いつも面会を喜んでくれた。きっと、本人は、まだ幼い娘を置いて姿を消したことを後悔しながら施設で暮らしているのだろうと思った。

施設では落ち着いて生活していたが、誤嚥性肺炎で病院へ入院。そのまま、死亡した。

施設職員が通夜に一人参列するだけだった。

娘とは、本人生存中にも何度か電話で連絡ができたが、本人の元へ見舞うことはなかった。

死亡後、娘は、通夜にも葬儀にも参列することはなく、後見人からの管理財産の引継ぎにもすぐには応じてくれなかった。管理財産引継ぎ時に、後見人は娘に初めて会ったが、娘は、〝父親がヤクザをしてくれたおかげで、私の青春時代は真っ暗だった〟と涙を流した。娘は、結婚して子供もおり、今は幸せな生活を送っていると言う。

◇考察

娘は、小学生の頃に本人と別れることになる。娘にとって、本人が姿を消したことのいきさつを理解できないまま、成長することになる。思春期に娘は、本人がギャンブルで借金をつくり、母親を苦しめたことがわかる。それ以降、娘は本人を許せなくなる。娘にとって本人の死亡は、どのように咀嚼することができたのであろうか。

管理財産引継ぎ時に、娘が涙ながらに本人のことを語り始めましたが、筆者が、〝お父さんは、心の底から娘さんに謝っていると思います〟と話すと、娘は少し安堵したような表情をみせたのです。

本人死亡という事態に、第三者の後見人が遺族（相続人等）と本人の間に入り、凍り付いていた遺族の心を少しでも癒やすことが出来ればと思いながら、筆者は丁寧に遺族に対応していくことを徹底しています。

(5) 引き取り手のない遺骨

ここに紹介した事例はほんの一部ですが、親族等から一切の関係を断ち切られ、孤立して暮らす人たちがいます。その人たちも、やがて年老いて介護サービス等を利用するとき、或いは、不規則な生活から体調を崩し医療の世話になるとき等に、身寄りのない人たちをフリーパスで受け入れてくれるところは、どこもありません。契約に際して、事業者から必ず後見人等を求められます。

２００４年から成年後見活動に就いてきた筆者は、対象者の約９割が頼りになる親族を持たない、いや、親族から一切の関わりを遮断されている人たちの支援者として、本人に寄り添い、本人の権利を擁護し、誰一人として面会にも訪れてくれない施設や自宅等を訪ね、本人とのつながりを深めてきたつもりです。面会に訪れるたびに、皆、筆者の訪問を喜んで下さいます。

その人たち一人ひとりが、筆者にとっては、かけがえのないご縁で出会うべくして出会った人たちでした。

その人たちは皆、親族に会うことも叶わずに、寂しい思いを抱きながら一人で暮らしていたのでしょうが、筆者のような〝他人〟をも優しく受け入れて下さった。そして、その方々の看取りにも立ち会うことが多くなりました。

たまたま、人生の途上で失敗を重ねてしまったばかりに孤立無援となってしまった人たちでありましたが、最期は皆、安らかな顔で往生していかれたのは何よりも有り難いことでありました。

本人が利用している施設等から、本人が看取り期に入ったという連絡があると、親族等で連絡先が分かっているところへ、〝本人が、看取り期に入ったので一度、本人を見舞って欲しい〟と、電話等で連絡をした事例も幾つもありましたが、誰一人として本人の最期を見舞ってくれた人はいませんでした。

このようにして筆者は、多くの方々を一人で見送るご縁を戴くことになります。たまたま出会うべくして出会った人たちだからこそ、僧侶でもある筆者は、勿論、無報酬で、誰もお参りがない通夜も葬儀も、ねんごろにお勤めしてお見送りしてきました。それは、後見人の所謂、「死後事務」という範疇に入らない、社会福祉士として後見人等を受任してきた僧侶である筆者の、本人に対する感謝の証しなのです。

ただ、残念なことに、ある意味では当然の如くに、先の事例で紹介しましたように、関わりを拒んできた親族等に、本人死亡の知らせと同時に管理財産引継ぎの知らせを届けても、すんなり応じてくれる人は殆どいませんでした。何度かして、ようやく親族（相続人）と顔を合わすことができても、本人のお骨を引き取る人は誰もありません。

〝私らにさんざん迷惑をかけたおやじの骨なんか、どこかへ処分してくれ！〟〝こんな骨を持って帰ったら、大変なことになる！〟〝私は、嫁いだ身なので家の墓に入れることはできません！〟〝親の骨なんか見たくもない！〟

そのようにして引き取り手がないお骨が、だんだん増えてきました。もっとも、本人が亡くなったときに、葬儀屋にお骨は処分して欲しい、と依頼すれば、葬儀屋は適当に処分してくれます。また、自治体の無縁墓への納骨を依頼しても可能なのでしょう。殆どの第三者の専門職後見人は、そのように処分しているのでしょう。

ただ、筆者には、かけがえのない人生を歩んだ本人のお骨を、物のように扱われることにはとんでもない抵抗がありました。

筆者は、たまたまご縁のあった本人の最期に立ち会った者の責任として、僧侶として、引き取りを拒否されたお骨を寺に持ち帰り、本堂で大事に安置することにしてきました。そのうちにお骨は増える一方で、境内に自費を投じてこれらの方々のお骨を納める合祀墓を建立しました。

このような取り組みをしている後見人（僧侶）は、日本広しといえども珍しいことから、幾つかのメディアが取り上げて下さいました。筆者が、合祀墓を建立した経緯が紹介されていますので、長めですが記事を引用させて頂きます。

『福井新聞』では、「住職であり、社会福祉士として身寄りのない高齢者の後見人もしている岡﨑賢さんがこのほど、被後見人が亡くなった後、引き取り手のない遺骨を納める永代供養墓を作った。『孤独な人生を送ってきた被後見人と出会えたのも何かの縁』。一人一人の人生に思いをはせながら、月命日にお経を上げている。（略）墓石には、『一切の有情は、みなもって世々生々の、父母兄弟なり』（歎異抄）と彫ってある。生きとし生けるものは何度も生まれ変わりながら、父母兄弟のようにつながっている――。刻まれた言葉に岡﨑さんの無縁社会への警鐘がにじむ。」

『月刊住職』では、「岡﨑住職は話す。被後見人は借金やアルコール中毒などのトラブルで家族や親族とも疎遠となった人も多く、死後も遺骨の引き取りを拒まれることがしばしばあります。相続すら拒み、何度も何度も説得することも多いです。親のおかげで暗黒だったと思うような子供にとっては複雑でしょう。（略）こちらから直接、遺族に働きかけることはしませんが、親の骨など見たくもないと言っていた方が数年経って涙を流しながらお参りにこられ、次に来た時は笑顔で家族を連れてこられたこともあります。」

この合祀墓には、同僚の社会福祉士専門職後見人等から納骨を依頼されたものを含めて、現在約四十体のお骨が合祀されています。預かったお骨には全て法名が授けられ、毎月巡って来る命日には法名を読み上げ読経することで、ご門徒や被後見人等、ご縁を戴いた方々を偲び、在りし日のご本人を思い起こさせて頂く機会になるのです。

『無縁社会　～〝無縁死〟3万2千人の衝撃～』を繰り返し述べるまでもなく、血縁・地縁・社縁が薄れてきてしまったこの超高齢社会は、ますます、孤独死・孤立死・無縁死が、常態化していくのでしょうか。

親鸞が『歎異抄』で教えて下さった言葉。

一切の有情は
みなもって
世々生々の
父母兄弟なり

私は、親族との関わりを拒絶された彼らとの出会いを通して、親鸞のこの教えが身につまされて、この教えに促されて、彼らとのご縁を自ずと大事に大事にさせて頂いているのです。

親鸞のこの言葉こそ、全てのいのちはつながっているというこの親鸞の同朋思想こそ、ますます無縁社会化している超高齢社会の津々浦々に、よみがえってこなければならないと心より念じます。なぜなら、それは、「血縁」とか「地縁」とかの、ボタンの掛け違いですぐに切れてしまう薄っぺらい「縁」ではなく、そこには、もっと深い絆を紡いでくれる地平が拓かれているのではないのか、と思われてならないからです。

「認知症者７００万人時代」の一つのセーフティネットとしての成年後見制度を利用する関係者が、この制度を利用して良かったとメリットを実感できる取り組みを一つひとつ重ねていくことで、僅かながら、この無縁社会≒超高齢社会を覆う闇を晴らしていきたいと願うばかりなのです。

おわりに

筆者が、四十数年携わってきた福祉現場での生活の中で、最も影響を受けた映像が、本書の冒頭で取り上げたNHKスペシャル『無縁社会　～〝無縁死〟3万2千人の衝撃～』であり、最も影響を受けた人が胎児性水俣病患者家族のTさんであり、最も影響を受けた書物が大熊由紀子さんの『「寝たきり老人」のいる国いない国』（ぶどう社・1990年9月）であります。

本書では、胎児性水俣病患者家族Tさんから学んだことと、大熊由紀子さんの『「寝たきり老人」のいる国いない国』については、触れませんでした。しかし、本書の終わりにあたって、やはり、触れざるをえません。

筆者の大学時代には、チッソ水俣工場から水俣湾に廃棄された工業廃液によって汚染されていると知らずに魚介類を摂取していた不知火海沿岸の熊本県や鹿児島県等の住民、数万人とも言われる被害者・犠牲者を出した水俣病が大きな社会問題となっていました。水俣病を告発する運動に関わっていた筆者は、大学の夏休みを利用して、同僚と二人で水俣湾を望む胎児性水俣病患者家族のTさんの家で援農（農作業を手伝うこと）でお世話になりました。Tさんのご家族は、私どもを優しく迎え入れて下さいました。Tさんは、胎児性水俣病に冒されたMさんを抱えながら筆舌に尽くせぬ思いを語って下さいました。そしてある時、Tさんが、筆者らに、

「あなたたちは、いつまでも私らのことを忘れないでいてくれるのか」という意味のことを水俣弁で話しかけられたことを忘れることができません。Tさんは、学生二人が〝物見遊山〟的な気分で〝援農〟の名のもとに水俣まで来てくれたのではないか？　私らの苦しみは、未来永劫途切れることがなく続いていくのだよと、私たちに訴えたのだと理解しました。

その後、水俣病を告発する運動も離散しましたが、筆者は、Tさんから「あなたたちは、いつまでも私らのことを忘れないでいてくれるのか」と発せられた問いは、いつも、社会的な弱者の側に立って生きていって欲しいと願われたのだ、と肝に銘じております。絶えず社会的弱者の側に身を置き、権力者の反対側に立たされている権力を持たない人たちの側に身を置き、物事を判断し、行動してきたつもりなのです。

それは、福祉現場という、どちらかと言うと社会的にも経済的にも弱者の側に置かれる人たちが多いフィールドで、彼らの幸せづくりに参画していくときに、一貫して筆者自身の行動指針となっていることです。

筆者が成年後見活動で出会った人の多くは、家族との縁も途切れ、一人で暮らしているうちに判断能力の低下等のトラブルで福祉関係者が関わり、成年後見制度の利用に繋がっていく過程で筆者が後見人としてご縁をいただいたものです。偶然としか言いようのない出会いですが、筆者はこの出会いを大事にし、絶えず弱者としてのご本人の側に立って権利擁護に努め、ご本人にとっても筆者とのめぐりあいに安らぎを感じていただけるよう願って活動に取り組んできました。引き取り手のないお骨を、筆者の自坊にお墓を建てて大事にお守りさせていただいているのも、水俣でTさんから、「いつまでも私らのことを忘れないでいてくれるのか」と問われたことが根っこにあります。家族からも見放された被後見人と言われる方々とのかけがえのない出会いがあり、お別れがあり、そして、責任をもってお骨をお守りしていく営みは、社会福祉士の専門職後見人として真宗大谷派の僧侶である筆者の必然的な務めでもあるのだ、と自覚しております。

仏教詩人の坂村真民さんの『めぐりあい』という詩の中に、「人生は　深い縁（えにし）の　不思議な出会いだ」という一節がありますが、筆者にとっては、被後見人となるご本人との出会いは、深いご縁の中にあった、と言わねばならないのです。

そして、もう一つ触れておきたいこと。大熊由紀子さんの『「寝たきり老人」のいる国いない国』。

冒頭に書かれている文章をそのまま紹介させて下さい。

　北欧の社会と出会ったとき、
　私は悲しくなりました。
　私たちの国と違いすぎるのです。

そこでは、老いた人も、障がいをもった人も、
誇り高く生きていました。
なぜ？　どうして？
それが知りたくて、私は歩きました。
海外の国々を、そして私たちの国を、
やがて、この思いを
私一人のものにしておいてはならない、と
思うようになりました。
その思いが
この本になりました。

今から三十年程前、筆者は、この本を貪るように読んだことを覚えています。

『「寝たきり老人」のいる国いない国』……。

もちろん、わが国で介護保険制度が始まるずうっと前のことです。

本を読み進めていくうちに、驚くことばかりが出てくるのです。三十年程前に読んだ『「寝たきり老人」のいる国いない国』を、今、めくってみると随所にマーカーペンで赤くしるしが付けられていました。

例えば、こんな箇所にもマーカーペンが真っ赤に引かれていました。

上の写真は、〈略〉コペンハーゲンにある高齢者デイセンターで写したものです。ピンクの地に花びらの模様が浮き出たドレス、美しくセットされた銀髪、耳飾り、口紅、マニュキア……。お金にも健康にも恵まれた大奥様といった姿です。

ところが目を凝らして見ると、この女性が座っているのは車いすでした。彼女は脳卒中の後遺症で半身不随、左手左足が不自由なのです。もし……、もし、この女性が私たちの国に住んでいたら、寝巻き姿で一日中ベッドの中で過ごし、髪は性別不明に刈り上げにされていることでしょう。（19頁）

この本の中で、大熊由紀子さんは、「ノーマライゼーション思想の生みの親」と呼ばれているバンク・ミケルセンさんの病床でのインタビューにも成功しています。

バンク・ミケルセンさんは、第二次世界大戦中にドイツ・ナチスの捕虜となって強制収容所に拘束されたという体験がありました。終戦後、デンマークへ戻り国の社会省（わが国で言う厚生労働省）に勤め、障がい福祉の担当となって知的障がいの人たちの施設を視察するや、バンク・ミケルセンさんは、ご自身がナチスの強制収容所で捕虜として拘束されていた時の状態とよく似ていることに気が付くのです。人間を人間と見ていないように感じたバンク・ミケルセンさんは、法律を改正し「ノーマリセーリング」という思想を起草され、その思想がヨーロッパからアメリカに渡ってわが国でも、ノーマライゼーションという思想が広がっていったということは、周知のとおりです。

この本のインタビューの中で、バンク・ミケルセンさんは、「政治家や行政官や専門家やまわりの人々が、ハンディキャップを負った人々のために何かをしようとするとき、いちばん大切なのは、『自分自身がそのような状態に置かれたとき、どう感じ、何をしたいか?』。それを真剣に考えることでしょう。そうすれば、答えは自ずから導き出せるはずです。」と明快に教示して下さっています。

バンク・ミケルセンさんは、この本『「寝たきり老人」のいる国いない国』の初版が発行された日(1990年9月20日)に、この世を去られたというのです。

筆者は、この本を一気に読み終えると、無性に福祉大国・「寝たきり老人のいない国」・デンマークの福祉事情をつぶさに見聞したくなり、夢は膨らむばかりでした。

そんな夢が、思いがけずに実現することになるのです。全国社会福祉事業団協議会海外研修派遣団の一員として1993年9月下旬から半月間、デンマーク、西欧で本物の福祉を学ぶ機会が与えられたのです。

「寝たきり老人のいない国」・デンマークでは、大熊由紀子さんがレポートされたように、筆者がデンマーク滞在中に、「寝たきり老人」には、一人も会うことがありませんでした。わが国で介護保険制度がスタートする7年も前のことです。いや、介護保険制度がスタートして二十年も経つのに、わが国の介護老人福祉施設等では、今なお、一日中、居室のベッドで天井を見ながら過ごしている「寝たきり老人」の姿を見かけるのです。いや、正確に言うと、「寝たきり老人」のほうが多いのではないでしょうか。

また、先に引用した半身不随でおむつを外せない車いすの老婦人が、爪にマニュキアをして、口紅を塗り、ドレスを着て過ごしているという大熊由紀子さんのレポートにも齟齬がありませんでした。筆者が訪問した何カ所ものプライエム（わが国の特別養護老人ホーム）では、女性の利用者の方々は、皆、髪はパーマネントがかけられ、首にネックレスを飾り、ワンピースで装っておられたのです。一方、「寝たきり老人のいる国」日本ではどうか。筆者がデンマークを訪問してから約三十年近くの歳月が流れましたが、相変わらず髪はバサバサでパジャマ姿のままホールでくつろいでいる利用者の姿を、あちらこちらの施設で見かけるのです。これは、国民性の違いと一言で片付けられて良いことなのでしょうか。

医療費も教育費も各種福祉サービス利用料も全て無料。高齢の人でも重い障がいをもっている人でも可能な限り在宅での生活が保障されている。デンマークの高福祉を支えるのは、約50％の所得税や25％の付加価値税（共に当時）。税金の嫌いな日本人にとっては、目をむくばかりの高負担です。しかし、高度な民主主義国家のデンマークでは、日本人のように税金を取られる（盗られる？）ものとしてではなく、国に貯金をするものという感覚で納税をしているのです。なぜなら、自分が障がいをもったとき、介護が必要になったとき、病気等で働けなくなったとき、全て国が責任をもって生活を保障してくれる仕組みだからです。

わが国のように、政権が腐敗し、不正の疑惑に蓋をして開き直り、政治家は汚職や失言のスキャンダルを繰り返して国民を愚弄して政治不信に陥っている国と、政治家を信頼しているデンマーク。デンマークの地方議会では、議員が定職をもっていることから、議会は夜に開催していることを聞いて、筆者の目からウロコが落ちました。デンマークでは、議員が昼間働いて、疲れた体で夜に議会に出て、与野党問わずに真剣に政策を議論するのだと言うのです。デンマークでは国民が皆、政治家を信頼するはずです。本当の民主主義国家であり、このようにして本物の福祉国家が築かれているのです。

それに比べて、わが国の政治家が起こす不祥事やスキャンダルがなんと多いことか。国民が、政治家を信頼できないのです。税金が国民のために正当に使われていない国ニッポン。だから、わが国では、税金は盗られる（？）もの、自分が困った時にも政治は何もしてくれないもの、としか捉えられていない。消費税増税なんてとんでもないもの、ということになるのです。

何故、今ここで、二十数年も前のデンマークでの福祉事情を少し長めに書き綴らねばならないのか？

それは、約三十年近く前のデンマークと介護保険制度創設から二十年も経った現在の日本との「生活安心保障」の基盤が、まるで異なっていることを対比したかったからです。
ましてや、わが国は超高齢社会。

『無縁社会　～〝無縁死〟3万2千人の衝撃～』から十年。２０２０年6月7日付、毎日新聞朝刊は1面トップで、「中高年親子　孤立死広がる」と大きな見出しを付けて報道しています。あの悲し過ぎる孤立死・無縁死は、今なおわが国のどこかで広がり続けているのです。介護殺人事件。高齢者、障がい者への虐待事件……。そして、やがて「認知症者７００万人時代」の到来。わが国では、深い闇が次々と覆ってきているのです。極めて深刻な政治的課題でもありますが、わが国の政治家は、超高齢社会の闇を直視しようとせずに、どこかの歌の文句のように、時の流れに身を任そう、としているかのようで危機感が感じられません。わが国では、デンマークと違って、超高齢社会の「生活安心保障」が約束されていないのです。だから、悲惨な事件があとを絶たないのです。わが国は、今なお、「寝かせきり老人のいる国」なのです。

「超高齢社会」は、一歩間違えば「無縁社会」でもあります。超高齢社会を深く覆う闇を、〝どこかのだれかの問題〟ではなく、自らの問題として、〝明日はわが身の問題〟として真剣に考えねばならないのです。本書がそれの問題提起の一端となることを願いながら、稿を閉じたいと思います。

この場をお借りして、本書の出版にご協力頂いた地域包括支援センターの皆様、社会福祉協議会の皆様に感謝申し上げます。筆者の活動を支えて下さる福井県社会福祉士会ぱあとなあ福井、民生委員・児童委員の同僚の皆様、祐善寺に集う皆様、その他、多くの関係各位に心から感謝の意を表します。

最後に、本書の出版に際してイロハからご指導頂きました東京図書出版の皆様に、心から御礼を申し上げます。

2020年10月

岡﨑　賢

参考文献等

第1章

■NHK「無縁社会プロジェクト」取材班『無縁社会　〝無縁死〟三万二千人の衝撃』（2010年11月　文藝春秋）

■NHKスペシャル取材班（編著）『無縁社会』（2012年7月　文藝春秋）

■『広辞苑』第四版

■国立社会保障・人口問題研究所編集『人口統計資料集2020』（2020年3月　厚生労働統計協会）

■内閣府『高齢社会白書（令和元年版）』

■野﨑和義監修『社会福祉六法2020』（2020年3月　ミネルヴァ書房）

■厚生労働省『自殺対策白書（平成30年版）』

■警察庁「令和元年の月別の自殺者数について」（2020年1月）

■福井県「多世帯で同居・近居しませんか？」（2019年4月）

第2章

■厚生労働省「介護分野の現状等について」（2019年3月18日）

■日本老年学会・日本老年医学会「高齢者に関する定義検討ワーキンググループ報告書」（2018年3月）

■内閣府『高齢社会白書（平成24年版）』

■内閣府『高齢社会白書（令和元年版）』

■野﨑和義監修『社会福祉六法2020』（2020年3月　ミネルヴァ書房）

■国立社会保障・人口問題研究所編集『人口統計資料集2020』（2020年3月　厚生労働統計協会）

■高室成幸『よくわかる地域包括支援センター必携ハンドブック』（2005年11月　法研）

■厚生労働省「地域包括ケアシステム」

■厚生労働省老健局「地域支援事業等の更なる推進〈参考資料〉」（2019年10月）

■厚生労働省「成年後見制度利用促進基本計画のポイント」

■厚生労働省「高年齢者の雇用状況（令和元年版）」

■厚生労働省「認知症施策推進総合戦略（新オレンジプラン）（2015年1月）」

第3章

■厚生労働省「介護分野の現状等について」（2019年3月18日）
■NHKスペシャル取材班（編著）『無縁社会』（2012年7月　文藝春秋）
■特定非営利活動法人　KHJ全国ひきこもり家族会連合会理事　藤岡清人「ひきこもりをとりまく現状と課題について」（第146回市町村職員を対象とするセミナー　2019年9月20日）
■厚生労働大臣根本匠「ひきこもりの状態にある方やそのご家族への支援に向けて」（令和元年6月26日）
■川北稔『8050問題の深層』（2019年8月　NHK出版）
■芹沢俊介×花園彰「対談・そもそも、引きこもるのはなぜなのか？」（『月刊　同朋』2019年12月号所収）
■内閣府『高齢社会白書（令和元年版）』
■厚生労働省「令和元年『高年齢者の雇用状況』集計結果」（2019年11月22日）
■『福井新聞』「敦賀の民家　親子三遺体――夫絞殺疑い71歳妻逮捕」（2019年11月18日付）
■『福井新聞』「夫ら3人殺害　妻起訴」（2020年4月4日付）
■警察庁「自殺統計・『令和元年中における自殺の状況』」（2020年3月）
■福井県警察本部「巡回連絡実施要綱」（2015年6月1日）
■『毎日新聞』「新型コロナウイルス感染者が多い国・地域」（2020年7月1日付）

■『朝日新聞』「80歳　選別された命」（２０２０年4月5日付）
■『福井新聞』「障害者団体など『命の選別』懸念」（２０２０年4月14日付）
■ＮＨＫＥテレ『バリバラ』「新型コロナＶ７★世界テレビ会議」（２０２０年5月7日放映）
■上野千鶴子『おひとりさまの老後』（２００７年7月　法研）
■上野千鶴子『おひとりさまの最期』（２０１９年11月　朝日新聞出版）
■東京都福祉保健局「東京都監察医務院で取り扱った自宅住居で亡くなった単身世帯の者の統計」（２０１９年）
■東京都福祉保健局「令和元年夏の熱中症死亡者数の状況〈東京23区〉（確定値）」
■厚生労働省「定期巡回・随時対応サービス」
■日本弁護士連合会高齢者・障害者の権利に関する委員会編『高齢者虐待防止法活用ハンドブック』（２００６年6月　民事法研究会）
■野﨑和義監修『社会福祉六法２０２０』（２０２０年3月　ミネルヴァ書房）
■厚生労働省「平成30年度『高齢者虐待の防止、高齢者の養護者に対する支援等に関する法律』に基づく対応状況等に関する調査結果」（２０１９年12月）
■内閣府『障害者白書（令和元年版）』
■厚生労働省老健局「認知症施策の総合的な推進について（参考資料）」（２０１９年6月）
■日本社会福祉士会編集『市町村・都道府県のための養護者による高齢者虐

待対応の手引き』（2020年1月　中央法規出版）
■野沢和弘『なぜ人は虐待するのか』（2006年3月　Sプランニング）
■『福井新聞』「認知症事故　家族免責――最高裁　JR逆転敗訴」（2016年3月2日付）
■警察庁生活安全局「令和元年における行方不明者の状況」（2020年7月）
■警察庁交通局運転免許課『運転免許統計（令和元年版）』（2020年3月24日）
■国土交通省『高齢者の移動手段の確保に関する検討会　中間とりまとめ概要』（2017年6月30日）

第4章

■日本社会福祉士会編『権利擁護と成年後見実践』（2009年3月　民事法研究会）
■厚生労働省「成年後見制度利用促進基本計画のポイント」
■厚生労働省「中核機関及び市町村計画策定等の取組状況調査結果（速報値）」（令和元年7月時点）
■最高裁判所「成年後見制度―利用をお考えのあなたへ―」（2018年3月）
■上山泰『専門職後見人と身上監護』（2008年3月　民事法研究会）
■『日刊県民福井』「福井の司法書士無断借用」（2008年10月30日付）
■鈴木雅人『認知症700万人時代の失敗しない「成年後見」の使い方』（2017年2月　翔泳社）
■最高裁判所事務総局家庭局「成年後見関係事件の概況―平成12年4月から平成13年3月―」

■最高裁判所事務総局家庭局「成年後見関係事件の概況―平成31年1月〜令和元年12月―」
■最高裁判所「成年後見制度―詳しく知っていただくために―」（2016年10月）
■最高裁判所事務総局家庭局「成年後見制度における診断書作成の手引　本人情報シート作成の手引」（2019年4月）
■『朝日新聞』「お金の引き出しに悩む銀行」（2020年3月21日付）

第5章

■「日本の論点」編集部編『10年後のあなた』（文藝春秋　2007年8月）
■真宗大谷派宗務所『真宗聖典』
■『福井新聞』「無縁仏の墓作り供養」（2018年6月4日付）
■月刊住職編集部「なぜ遺骨をゆうパックなんかでお寺に送るのか!?　住職の賛否本音」（『月刊住職』2019年5月号所収　興山舎）

岡﨑　賢（おかざき　けん）

1948年11月　団塊世代のど真ん中、真宗大谷派祐善寺（福井教区）に生まれる
1971年８月　大学時代の水俣での胎児性水俣病患者家族Ｔさんとの出会いで、いつどのような場合においても社会的弱者の側に立ち続けることを自らの内に決定付けられた
1980年５月　祐善寺第22代住職を継職
1993年９月　全国社会福祉事業団協議会実務研究論文入賞の副賞として、デンマーク等への研修の機会が与えられ、本物の福祉を実地に学ぶことができたことは、その後の福祉人としての歩みを確かなものとしてくれた
1999年４月　社会福祉士厚生大臣登録
2004年より社会福祉士の専門職後見人として後見活動に従事する
2010年１月　NHK総合TV『無縁社会～“無縁死”３万２千人の衝撃～』で忘れられない衝撃を受ける
2017年11月　祐善寺境内に引き取り手のないお骨を納める合祀墓を建立。亡くなられた門徒や合祀墓に納めた方の毎月命日には、法名を読み上げ読経して亡き人を偲び、かけがえのない出会いに感謝している

無縁社会≒(にもなる)超高齢社会の闇と成年後見

2021年２月28日　初版第１刷発行

著　　者　岡﨑　賢
発 行 者　中田典昭
発 行 所　東京図書出版
発行発売　株式会社 リフレ出版
〒113-0021　東京都文京区本駒込 3-10-4
電話 (03)3823-9171　FAX 0120-41-8080
印　　刷　株式会社 ブレイン

ISBN978-4-86641-383-9 C0095
Printed in Japan 2021